JESUS

O HOMEM MAIS AMADO DA HISTÓRIA

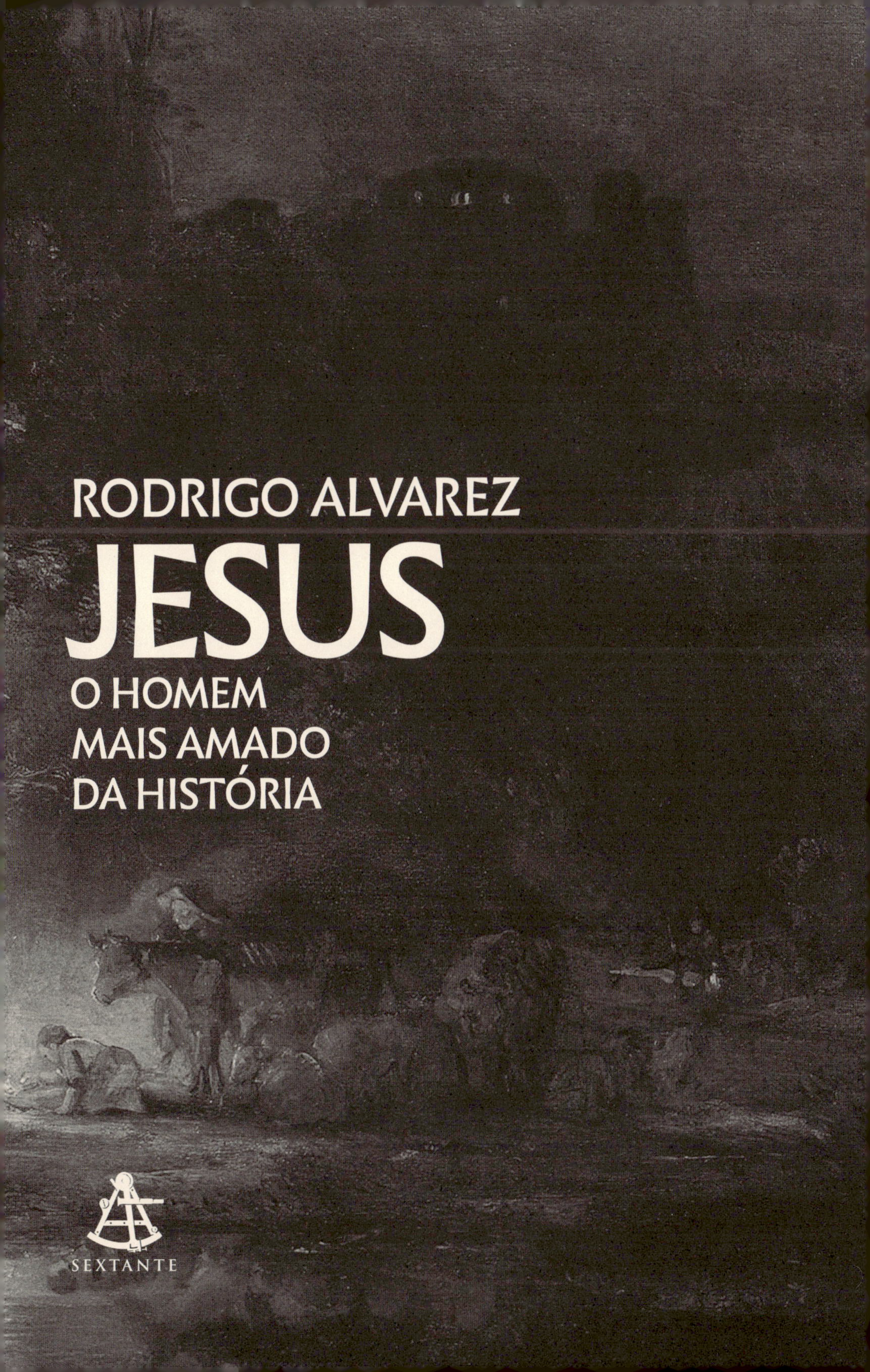

RODRIGO ALVAREZ

JESUS

O HOMEM MAIS AMADO DA HISTÓRIA

SEXTANTE

PRODUÇÃO EDITORIAL: Guilherme Bernardo
REVISÃO TÉCNICA: Padre Marçal Maçaneiro
REVISÃO: Hermínia Totti
CAPA: Angelo Bottino
PROJETO GRÁFICO: Victor Burton
DIAGRAMAÇÃO: Natali Nabekura
IMAGEM DE CAPA: Randy Friemel | www.FriemelFineArt.com
IMAGENS DE MIOLO: Wikimedia Commons
IMPRESSÃO E ACABAMENTO: Lis Gráfica e Editora Ltda.

CIP-BRASIL. CATALOGAÇÃO NA PUBLICAÇÃO
SINDICATO NACIONAL DOS EDITORES DE LIVROS, RJ

A475j
Alvarez, Rodrigo, 1974-
Jesus : o homem mais amado da história / Rodrigo Alvarez. - 1. ed. - Rio de Janeiro : Sextante, 2021.
288 p. : il. ; 23 cm.

Continua com: Cristo
ISBN 978-65-5564-223-0

1. Jesus Cristo. 2. Jesus Cristo - Biografia. 3. Jesus Cristo - Historicidade. 4. Jesus Cristo - Ensinamentos. I. Título.

21-73233 CDD: 232.901
CDU: 27-312

Camila Donis Hartmann - Bibliotecária - CRB-7/6472

GMT Editores Ltda.
Rua Voluntários da Pátria, 45 – Gr. 1.404 – Botafogo
22270-000 – Rio de Janeiro – RJ
Tel.: (21) 2538-4100 – Fax: (21) 2286-9244
E-mail: atendimento@sextante.com.br
www.sextante.com.br

Dedico este livro aos judeus, aos católicos, aos evangélicos – cristãos de todas as cores – e também aos espíritas, aos muçulmanos, aos budistas, aos seguidores de outras religiões, ou de nenhuma; a todos aqueles que, como Jesus, entendem que o amor ao próximo é a parte mais bonita de nossa existência – e que toda a existência humana, por si só, sempre foi e será sagrada.

SUMÁRIO

BARTOLOMÉ ESTÉBAN MURILLO
SÃO JOÃO BATISTA INDICANDO O CRISTO (1650-60)
Instituto de Artes de Chicago, Estados Unidos

APRESENTAÇÃO

Imagine Jesus começando sua pregação nas montanhas da Galileia. Atravessando sozinho o deserto da Judeia. Vendo as águas do Jordão pela primeira vez. E agora, angustiado no Monte das Oliveiras. Maldizendo a corrupção de Jerusalém. Pisando o sangue que escorre pelas ruas enquanto se aproxima o dia de seu julgamento. Entre em cada cômodo onde Jesus entrou. Para reconstituir cada passo da vida do homem mais amado da História, e compreendê-los, e explicá-los, enfim, para chegar a este livro que você tem em mãos, precisei respirar esses mesmos ares e viajar por algumas dezenas de lugares.

Vivi três anos e meio em Jerusalém, de onde frequentemente parti para visitas ao sepulcro de Jesus, à gruta da Natividade em Belém, a Nazaré, à Turquia, à Jordânia, ao Chipre, ao mar Morto e, inúmeras vezes, ao rio Jordão, um lugar tão simbólico, onde a vida pública de Jesus começou, onde literalmente mergulhei para me sentir mais próximo do que ele pode ter sentido naquele dia em que João Batista o colocou dentro d'água. Caminhei pelos mesmos desertos por onde Jesus caminhou. Encontrei rebanhos de cordeiros com seus pastores. Encontrei também um silêncio profundo que me convidou à meditação. Fui também ao alto das montanhas e entrei nas cavernas de Jericó, onde monges se instalaram logo depois da morte de Jesus, acreditando que era naquele lugar exato que ele havia passado quarenta dias sem comer, à espera do diabo.

Entendi que pisando as mesmas pedras que Jesus pisou conseguiria me aproximar ainda mais dele. Subi ao monte onde a tradição afirma que Jesus fez seu sermão inaugural. Tomei banho no mar da Galileia, querendo ver o barco de Pedro, e talvez encontrar-me com João e Tiago numa de suas margens. E enquanto isso, mergulhava também nos Evangelhos, e nos Atos, e nas cartas de Paulo, e nos tratados de patriarcas como Irineu e Tertuliano; e também nos livros judaicos que, desde o Gênesis, são a base de tudo; e certamente nas profecias, de Isaías a Malaquias; e nos pergaminhos que foram queimados pelos primeiros bispos da Igreja, mas salvos em jarros e cavernas por religiosos que defendiam suas formas de pensar; e também nos livros gnósticos com suas visões místicas, que ao desavisado poderiam soar delirantes.

Enfim, dediquei muitas horas aos originais de pergaminhos que tratam de questões polêmicas, como a suposta disputa entre Jesus e João Batista e, mais sensível ainda, a presença fortíssima de Maria Madalena, que pergaminhos gnósticos afirmarão ter sido mais que uma simples discípula.

Quando o livro chegar a seu meio, num interlúdio, contarei também o que nos disseram ser os segredos de Jesus aos apóstolos. Mas fique logo sabendo que este livro não foi escrito para levantar polêmicas inconclusivas, nem para trazer inquietude àqueles que têm fé e um amor enorme por Jesus Cristo.

Desde a primeira linha, procurando sentir o ambiente em que Jesus viveu, me afastei dos olhares repetitivos, ou mesmo viciados, daqueles que querem defender essa ou aquela tese e nada mais enxergam. Passei também muito longe do sensacionalismo de escritores que se aventuram pelo tema e muitas vezes concluem o que lhes parece mais escandaloso, com base apenas num pergaminho obscuro, ou numa ossada de origem duvidosa, ou mesmo em mera especulação, quando, por exemplo, se exaltam as qualidades intelectuais de Jesus desejando mais uma vez transfigurá-lo na forma de autoajuda.

O que você tem agora em mãos é uma biografia de Jesus que traz em suas páginas os cheiros dos desertos e das montanhas da terra de Israel, o lugar que os romanos chamavam de Palestina. Uma biografia escrita a partir das fontes bibliográficas e arqueológicas mais atuais, assim como das mais antigas de que se tem notícia, com uma busca incessante pela informação em estado bruto, o mais livre possível dos interesses políticos e religiosos que manipularam a História em benefício dos vencedores.

Por fim, conto a você que o título deste livro começou a nascer em 2014, no subtítulo do meu livro *Maria*, quando me referi a ela como a mãe do *homem mais importante da História*.

Depois dessa imersão na vida de Jesus, continuo pensando que ele foi o mais importante entre todos os que viveram até agora. No entanto, mais do que isso, o que permeia sua biografia é o amor. O amor que Jesus pregou e praticou – ainda que muitas vezes tenha perdido a paciência com as injustiças do mundo – e, mais do que tudo, o amor que desde os primeiros discípulos a humanidade dedica a Jesus, a ponto de dividir a História em antes e depois de seu nascimento. Faz dois mil anos, portanto, que não há quem possa tirar-lhe o título de *homem mais amado da História*.

Agora que eu espero já ter convencido você, minha leitora ou meu leitor, de que o que tem nas mãos não é mais do mesmo, e que vale a pena começar a leitura, por que você não fica logo numa posição confortável? Esqueça um pouco as redes sociais, coloque o telefone no modo silencioso, repouse seu corpo da maneira mais cômoda possível. Ah, sim, se puder, tire os sapatos, pois com os pés apertados ninguém irá muito longe por esses desertos. A biografia do homem mais amado da História vai começar... Pode virar a página.

PRÓLOGO:

A VOZ DO DESERTO

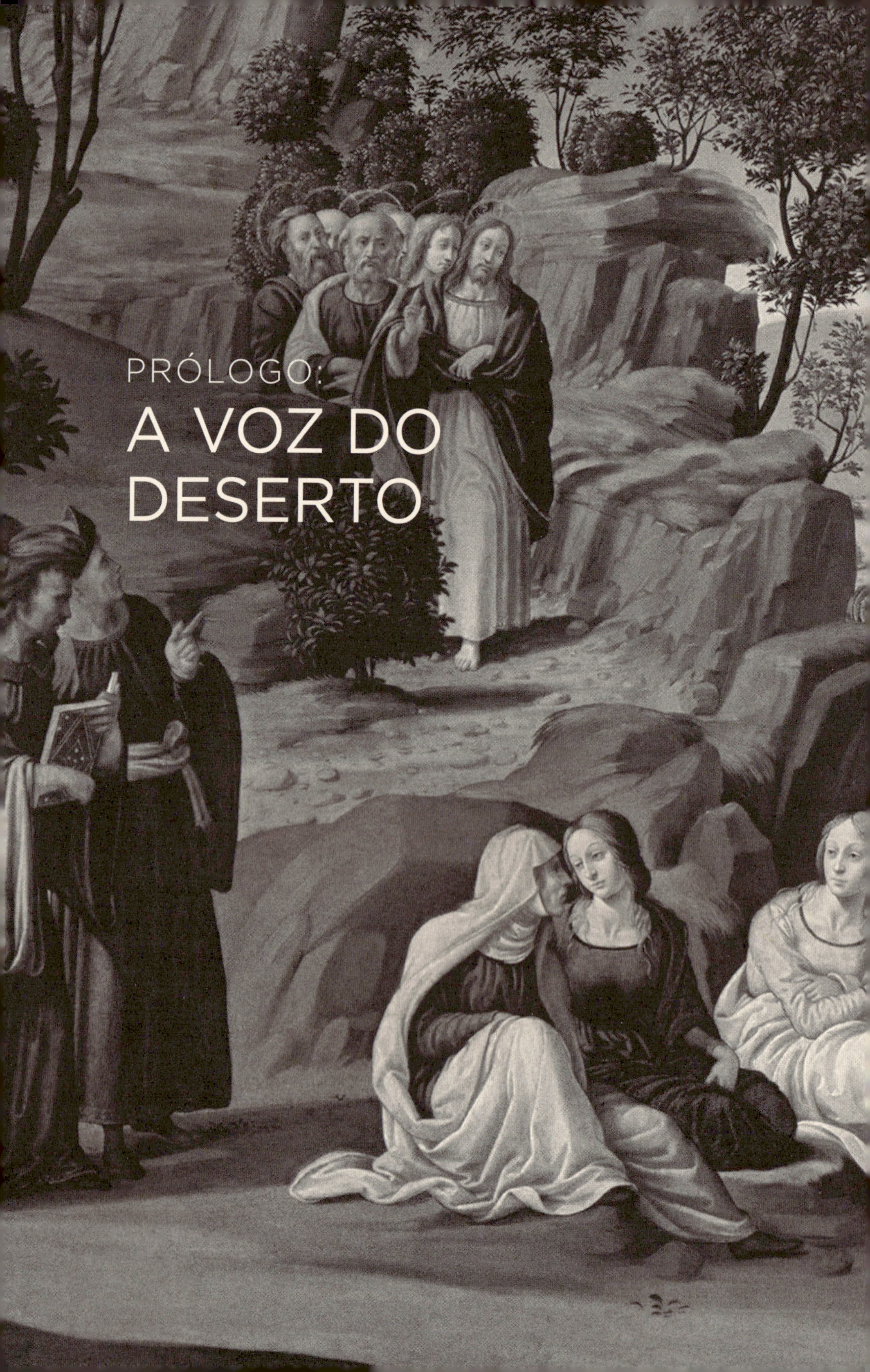

FRANCESCO GRANACCI (WORKSHOP)
SÃO JOÃO BATISTA DANDO TESTEMUNHO (C. 1506-07)
MET, Estados Unidos

ANTON RAPHAEL MENGS
SÃO JOÃO BATISTA
PREGANDO NO DESERTO
(C. 1760)
Museu de Belas-Artes
de Houston, Estados Unidos

Sob a luz azul do luar que entra pelas frestas da porta, em mais uma madrugada seca e fria, podemos imaginar o pregador jovem de barba longa e cabelos nos ombros ainda se esforçando para abrir os olhos, levantando-se da cama, vestindo sua túnica branca um pouco rasgada, sem pensar se essa roupa lhe cai melhor ou pior do que qualquer outra. Jurou diante das escrituras que trocaria as riquezas mundanas pelas do espírito. Doou tudo o que tinha para a comunidade, pois jamais se esquece dos Salmos que o ensinaram que mais vale ter pouco e seguir as leis divinas do que possuir riqueza e ser impuro. E há um pensamento que de tempos em tempos lhe volta à cabeça.

No dia em que os homens diabólicos forem transformados em fumaça... exatamente como a gordura dos cordeiros no fogo do sacrifício... será a nossa comunidade desprendida dos bens terrenos que herdará o Reino dos Céus.[1]

Não é outra a razão pela qual está vestindo seus pés com sandálias gastas para logo em seguida pisar o chão arenoso e sair ao pátio da casa comunitária pela primeira vez neste novo dia de Deus.[2] Podemos vê-lo na penumbra, saudando seus companheiros, unindo-se a eles na primeira oração desse dia que ainda nem clareou, com os rostos voltados para onde o sol vai nascer, de costas para o Templo de Jerusalém, coisa que fazem com muito propósito, certos de que há demônios por lá a ocupar a casa do Criador.

Quando a oração termina, ainda sob a luz azulada que a lua lhes oferece, vão todos ao refeitório. É lugar tão abençoado que mais parece um templo. Um sacerdote dá sua bênção como se começasse uma santa ceia, ou um santo café da manhã. E, como num momento de Eucaristia, certamente uma comunhão, todos comem o pão que, pelo menos nesta mesa eles têm certeza, não foi o diabo que amassou.

Tudo leva a crer que foi duzentos anos antes, pouco mais, pouco menos, por causa de uma grande desavença com o sumo sacerdote. Os fundadores da comunidade saíram de Jerusalém para viver isolados, adorando a Deus segundo suas leituras ultrarrigorosas das escrituras, acreditando que um messias viria livrá-los de poderosos impuros, como os falsos sacerdotes, os reis invasores e, mais tarde, os malditos romanos.[3]

Os primeiros ocuparam uma antiga fortaleza abandonada. Pedras sobre pedras fazendo dois andares. Quase quarenta passos de largura. Viram a comunidade crescer à volta da grande construção, em construções menores, onde foram morar outros religiosos, e também em algumas tendas, onde foram viver outras dezenas de gentes, sem que desejassem mulheres entre eles, pois preferiram a castidade ao casamento.

Crescei e multiplicai-vos é talvez o único verso do Gênesis que gostariam de esquecer, pois são raros os que se casam e procriam. Os que continuam chegando para encher essa terra, conforme ordenou o Criador, chegam com as próprias pernas. A comunidade adota os filhos de outros. Mas só quando ainda são meninos o suficiente para receber educação.[4]

Por fim, imaginamos o pregador começando a descer a montanha em passos certeiros, sem dizer palavra, levando consigo o cajado que o ajuda na caminhada sobre as pedras, e que é também uma espécie de foice. Serve para lhe abrir caminhos, mas jamais para enfrentar outros homens.

Ainda que seus inimigos mereçam a espada e não sejam nada além de *filhos da escuridão*, um gesto violento não faria o menor sentido com o pacifismo que ele prega.

No dia da batalha final, aí sim, que ninguém se iluda: o Messias será o primeiro a trazer sua espada. Pelo menos é isso que se espera desde que os grandes profetas começaram a anunciar a chegada do Salvador, fazendo muita gente acreditar que um homem seria enviado dos céus para acabar com a humilhação horrorosa que tem sido viver dominado por estrangeiros.

O Messias deverá ser o homem de Deus que restituirá a Israel a glória que o povo não conhece há cerca de mil anos, desde os tempos de Davi, quando era um hebreu a governar os hebreus, sem divisões entre eles. E, se as profecias estiverem certas, o Messias terá que ser, inclusive, um descendente daquele homem pequeno e valente que derrotou o gigante Golias antes de subir ao trono de Saul. Por isso, lhe será muito mais conveniente nascer em Belém da Judeia, onde também nasceu o rei Davi. A consanguinidade, espera-se, há de lhe emprestar alguma qualidade.

GUSTAVE DORÉ
DAVI MATA GOLIAS (1843)
Grande Bíblia de Tours,
França, 1866

Mas agora o pregador não pensa em questões de sangue e hereditariedade. Pensa, aliás, que seu corpo perecerá, e que só a alma é imortal.

Ainda que sonhe os mesmos sonhos de liberdade dos outros judeus, há algo que irremediavelmente separa sua comunidade das outras seitas religiosas de Israel: a expectativa pela grande batalha dos povos, o *armagedom*, outros dirão, o fim dos tempos que eles acreditam estar muito próximo. As crenças vêm dos profetas antigos, e foram gravadas em pergaminhos, inúmeras vezes reproduzidas pelos copistas nas salas de escrita da comunidade, mas é bem sabido que, nesses dias de terror romano, haverá pouquíssimos outros judeus com ousadia para tal heresia.

Apocalipse nunca mais! Imagina-se assim a desfaçatez dos que querem agradar aos romanos, temendo suas espadas, garantindo-lhes que o império não está em perigo.

Pois especialmente aqueles que dizem ter relacionamento mais íntimo com Deus, os saduceus que comandam o Templo, não querem aborrecimentos. Construíram em Jerusalém os palácios onde vivem como reis, recebendo os convidados em salões com mosaicos, bebendo o bom vinho em cálices de ouro, protegidos por suas guardas particulares, bajulados por serviçais belas e feias e pelos escravos que Deus lhes deu.

Entre esses judeus poderosos há escribas, sacerdotes e, principalmente, sumos sacerdotes, como Anás e Caifás, predestinados ao panteão dos crápulas, doa a quem doer, sempre muito bem alinhados em suas vestes de fino tecido, pedras preciosas na altura dos ombros, turbantes com placas de ouro a lhes atestar santidade. Enquanto exibem ganância e vaidade, vão garantindo a coleta dos impostos para entregar os denários do povo aos emissários de Roma, fingindo não haver qualquer problema num certo acordo, coisa mesmo de maus cavalheiros, em que os chefes religiosos não se metem com o que é de César, e César não se mete nos assuntos de Deus.

Agora que o dia finalmente vai clareando nas montanhas, quando o pregador olha para cima a fim de ver o céu púrpura invadido pelos primeiros raios de sol, vê também pontos escuros, cavernas, como se fossem os olhos da enorme montanha. Sendo olhos, serão memória. Um dia, as cavernas mais altas guardarão uma biblioteca enorme com os pergaminhos sagrados, do Pentateuco aos Profetas, os códigos secretos da comunidade, o Manual de Disciplina, cânticos de louvor a Deus e também ensinamentos sobre magia e exorcismo, tudo bem acomodado a uma distância segura da fúria romana e das águas correntes. Pois, quando as chuvas desabam, vão logo fazendo um rio, enchendo os reservatórios, para alegria da comunidade, enchendo também as piscinas construídas na areia, onde há escadas esculpidas na pedra para que eles possam descer até a parte mais funda e tomar seus banhos rituais que, aqui e ali, já estão sendo chamados de batismos.

O pregador chegou ao pé da montanha e agora vê a sua direita um lago tão grande que chamam de mar. Não teria como saber, lhe falta a ciência, mas está no lugar mais profundo da terra, bem abaixo dos espelhos dos mares. Nem por isso encontra diabos e fogueiras em seu caminho.

Há, sim, logo atrás dele, uma dúzia de religiosos com suas barbas de profetas e túnicas brancas, seguindo cada um de seus passos.

Quando o pregador e seus companheiros avançam pela natureza selvagem, vão a pouquíssima distância das águas. Sempre margeando seu grande vizinho, o mar de sal que, conforme o próprio nome dirá, sendo Morto, não lhes oferece mais do que uma água que cega e amontoados de lama.

Mas, neste dia em que os imaginamos, eles estão indo ao rio Jordão, que fica só um pouco mais adiante, a uma hora de caminhada, com suas águas doces perfeitas para o ritual de purificação que mais uma vez irá *limpar os humanos de suas práticas malévolas através do Espírito Santo.*[5] É isso que está determinado no manual de disciplina da comunidade, o código de conduta que eles juraram obedecer.

O manual ensina que todos são pecadores e que só quem admitir suas culpas poderá viver entre eles. Ensina também que se deve dizer amém a quem os bendisser, assim como a quem os amaldiçoar, antecipando o que um dia se conhecerá como oferecer a outra face do rosto a quem nos fizer algum mal.[6]

Quando o pregador molha seus pés, e depois sua túnica, assim como os molham os outros homens que atravessam o rio, é para ir se instalar na outra margem. Separados pelas águas correntes, asseguram-se de que estão ainda mais distantes de Jerusalém. Afinal, anda-se numa corrupção do espírito tão descarada na cidade sagrada que não lhes soaria nada mal se alguém, nas barbas dos sumos sacerdotes, nos bigodes dos cambistas, esbravejasse que transformaram a casa de Deus num covil de ladrões.

Em dia tão bonito, em paisagem tão inspiradora, e ainda com os corações imersos nesse rio de arrependimentos, quase nos esquecíamos de dizer que o pregador que estamos acompanhando chama-se João. É nome que parece brotar nas tamareiras, de tão comum. Mas esse não é um João como tantos outros. Se fosse, perdoem-nos a franqueza, não estaríamos aqui acompanhando seus passos.

Aliás, depois que saiu dos arredores de Jerusalém, onde nasceu, depois que veio para esse lado do mundo e se fez sábio, tem realizado tantos prodígios que atrai multidões. E, por causa do ritual que pratica com estilo próprio e benefícios inestimáveis aos que o experimentam, só o chamam por João Batista.

Seja qual for o motivo, uma coisa é certa: João prefere, sempre, o outro lado do rio. E agora que o sol ultrapassou os picos das montanhas, podemos imaginá-lo com os *filhos da luz*, suas túnicas meio dentro, meio fora da água, relembrando a profecia, tão clara, muito mais cristalina que esse rio, anunciando que um *servo de Deus* será posto nas alturas e irá morrer para livrar do fogo eterno aqueles que forem puros e bons.[7]

O servo esperado ainda não chegou, ou pelo menos não se tem certeza disso. Sem nenhum sinal contundente de Deus, algo que lhes diga é este, eles ainda o esperam. E, em vez de *servo*, preferem chamá-lo *Messias*, reinterpretando Isaías.

Eis que meu Servo prosperará!
Era desprezado e abandonado pelos homens...
Por suas feridas fomos curados...
Livremente humilhou-se e não abriu a boca,
Como cordeiro conduzido ao matadouro.
Ofereceu sua vida como sacrifício expiatório.
Foi contado entre os criminosos.
Levou sobre si os pecados de muitos,
E pelos transgressores fez intercessão.[8]

Os companheiros de João dizem seus améns sem saber que esse trecho da profecia servirá como inspiração, mais tarde, a uma outra escritura sagrada para meio mundo. E no dia em que estiver completo, o Novo Testamento atribuirá ao Batista a frase histórica que, dita ou não, eternizará a ideia de que um de seus batizados terá sido o Cordeiro de Deus dado em sacrifício para tirar os pecados dos seres humanos.

Se João Batista sabe Isaías de cor, e aprendeu tanta coisa sobre os antigos, é porque passou boa parte de seus dias estudando. Provavelmente leu um pergaminho que ensina os *filhos da luz* a enfrentar os *filhos da escuridão* no dia em que o apocalipse chegar.[9] Tem sabedoria de sobra para ser sacerdote ou, mais que isso, um grande profeta. E não será possível, então, que seja *ele* o Messias?

A dúvida se explica e não deverá jamais ser entendida como ofensa por quem tiver certeza de que o Messias é outro. Se as palavras de João não soassem divinas, não estariam agora chegando multidões para vê-lo, ouvi-lo e serem batizadas por ele nas águas do Jordão.

– *Deus me enviou para mostrar-lhes a verdade da lei, por meio da qual vocês serão poupados de ter vários mestres e não terão mais mestres mortais, mas apenas o Mais Elevado, que me enviou* – ele costuma dizer aos discípulos, como se quisesse demonstrar que é o Messias.[10]

Quando termina a oração, imaginamos, João pega a cabeça de Simão e a mergulha na água. Mal sabe que, depois de sua morte, esse homem a quem andam chamando pelo apelido desdenhoso de Mago o substituirá como líder do grupo. Duas, três, quatro vezes. João mergulha Simão no rio, espera que se levante, e o mergulha outra vez.

O profeta do rio Jordão repete inúmeras vezes o ritual de imersão nas águas do rio. Não foi à toa que o apelidaram de Batista. Agora é a vez de André... e de um Jesus que não veio de Nazaré, e de um Jacó, e de um Natanael... e assim o pregador vai purificando seus discípulos e muita gente que veio de longe para vê-lo.

Estudiosos dirão que, pelo menos até uma certa parte de sua vida, sem que lhes respingue uma gota de dúvida, João Batista terá feito parte da comunidade dos essênios, o povo sagrado, uma das três grandes seitas filosóficas judaicas de seu tempo, que, entre eles, se chamam

uns aos outros de *filhos da luz*. Só uma permanência longa com eles explicaria sua maneira particular de interpretar o que está nas escrituras, e também a escolha de um lugar tão distante do mundo civilizado para pregar sobre o fim dos tempos.[11]

Os essênios estão também noutras cidades, mas concentram-se ao lado de onde João faz seus batismos, neste lugar que um dia será conhecido como Qumran, onde muito mais tarde, naquelas mesmas cavernas lá de cima, serão encontrados pergaminhos que nos ajudarão a entender melhor essa história. Demonstram enorme afeto uns pelos outros. São ainda mais disciplinados e dedicados a Deus do que os fariseus, e muito mais rigorosos em sua interpretação das escrituras do que os saduceus, que mandam na religião.[12]

Se muitos essênios são celibatários, no entanto, como também o serão os padres católicos, é para se dedicar melhor a Deus, ao mesmo tempo que se protegem do que consideram um comportamento infiel das mulheres. São, por fim, os únicos que impõem regras de celibato, coisa que praticamente desaparecerá do judaísmo depois deles, e também não estará no cristianismo ortodoxo, protestante ou evangélico, pois rabinos e pastores – e também os católicos de rito oriental – verão no casamento e no sexo a certeza da multiplicação, uma saudável obrigação.

Os *filhos da luz* são tão rigorosos no cumprimento da lei de Moisés que comem a refeição feita na sexta-feira para não mexer com fogo no sábado, que só ao Altíssimo pertence. E jamais irão ao mato num sábado deixar aquilo que já não serve a seus corpos: constipar-se-ão em nome de Deus.

Não seria nada estranho se alguém dissesse que são ultraortodoxos, rigorosíssimos em suas religiosidades.[13] Mas que ninguém lhes pergunte nada sobre o grupo a que pertencem. O manual de disciplina determina que a boca deve se manter fechada. Algo como *o que acontece no deserto fica no deserto*.

Nenhum deles, portanto, sairá pela Judeia propagandeando coisas como "sou um *filho da luz* e me salvarei quando o mundo acabar", ainda que esteja pensando exatamente assim. E se um dia desejar sair da comunidade, o essênio poderá ser punido com a fome, até morrer por inanição. É inadmissível quebrar os juramentos e revelar os segredos.

Anoitece.

Passam-se dias.

Talvez sejam meses.

Ou mesmo alguns anos.

E João, essênio ou não, continua batizando.[14]

PÁGINA 22:
MATTIA PRETI
SÃO JOÃO BATISTA
PREGANDO (C. 1665)
Museu de Belas-Artes de
São Francisco, Estados Unidos

FRANCESCO DI ANTONIO
DEL CHIERICO
SÃO JOÃO BATISTA BATIZA
AS MULTIDÕES (C. 1450-70)
Biblioteca do Vaticano

PRIMEIRA PARTE:
A TRAVESSIA

IVAN KRAMSKOI
CRISTO NO DESERTO (1872)
Galeria Tretyakov, Rússia

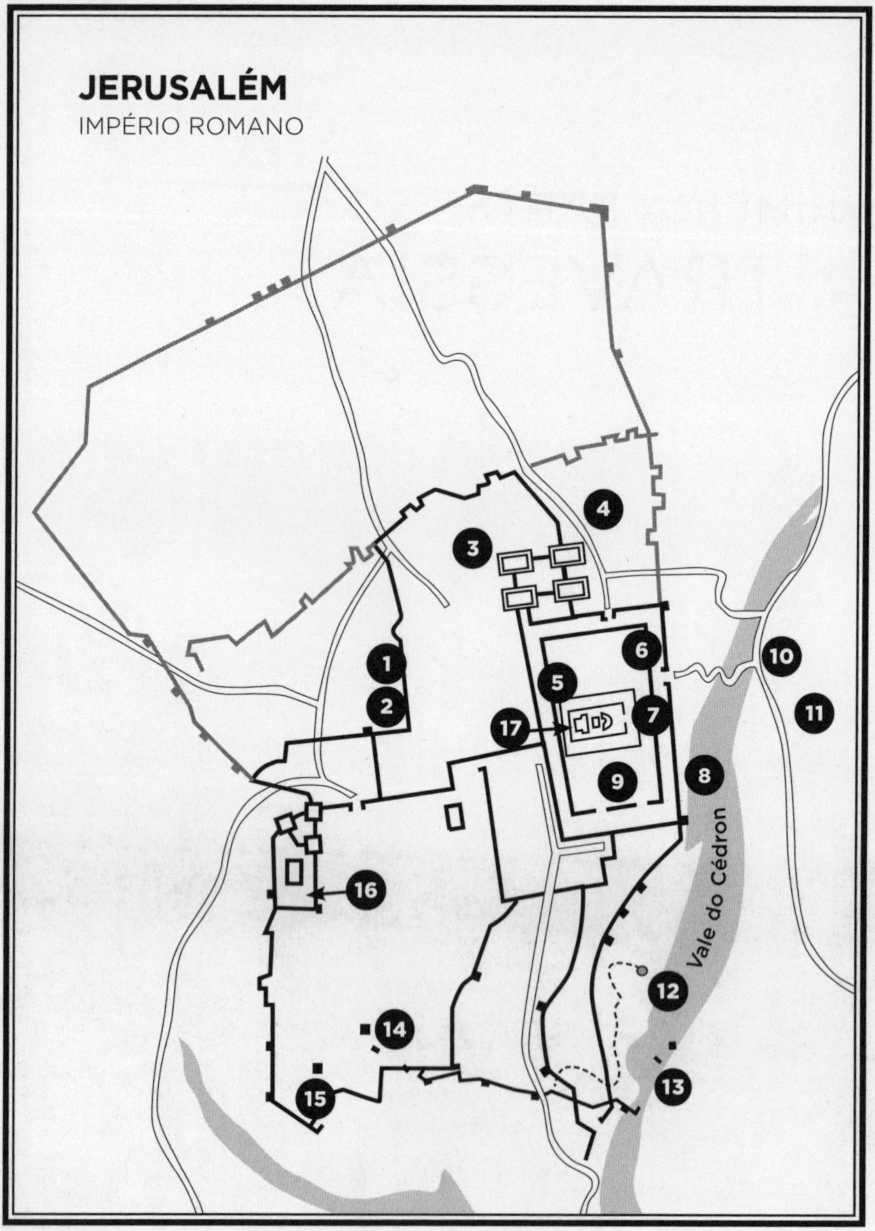

1. Gólgota
2. Jardim do Sepulcro
3. Fortaleza Antônia
4. Tanque de Betesda
5. Templo de Herodes
6. Alpendre de Salomão
7. Porta Formosa
8. Pináculo do Templo
9. Pátio dos Gentios
10. Jardim do Getsêmani
11. Monte das Oliveiras
12. Fonte de Giom
13. Porta das Águas
14. Casa de Caifás
15. Cenáculo
16. Palácio de Herodes
17. Santo dos Santos

PALESTINA
NOS TEMPOS DE JESUS

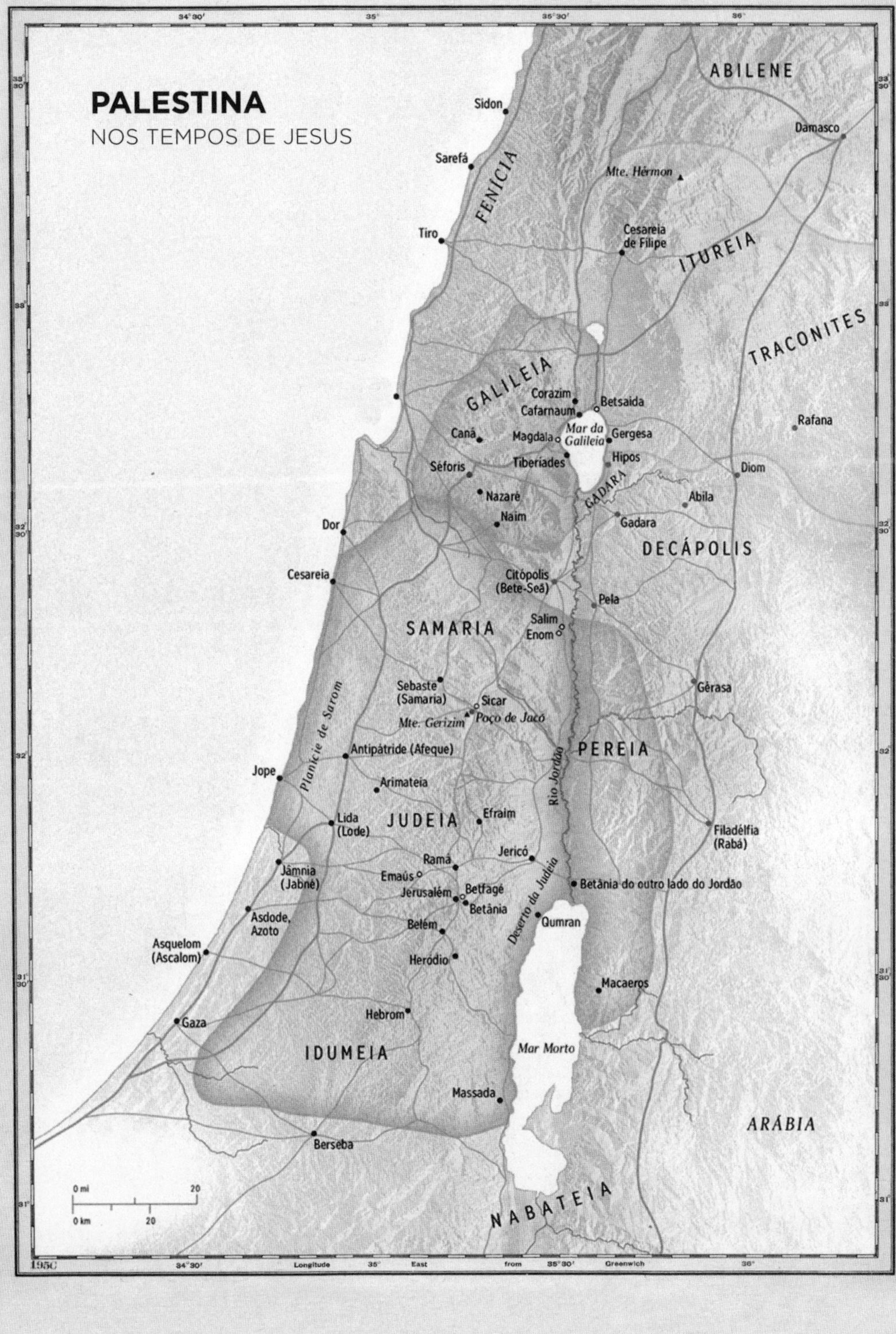

IL MORETTO DA BRESCIA
JESUS ABENÇOANDO SÃO JOÃO BATISTA (C. 1520-23)
The National Gallery, Reino Unido

1 | DE NAZARÉ AO JORDÃO

Podemos imaginar suas pernas doídas e seus músculos latejando depois de tanta caminhada pelo deserto. A boca sedenta, calos nos pés, o corpo inteiro cansado da viagem que é sempre exaustiva para quem sai da Galileia e vem subindo e descendo montanhas, andando horas incontáveis sem ver coisa alguma além de pedras, talvez um pastor com seus cordeiros e ovelhas na montanha distante, não mais do que isso, pensando nas razões que o levaram a fazer essa travessia, e, respirando mais fundo, imaginando o oásis que finalmente encontrará quando chegar ao rio Jordão.

Mas o rio não chega.

O sol não perdoa.

O suor lhe escorre feito lágrima e vai estalar no chão.

Não se tem notícia de qualquer acontecimento diferente no céu. Não há uma única nuvem. Sem a menor sombra de chuva, não há tampouco arco-íris como o que foi visto por Noé quando Deus se reconciliou com os homens.[15] Só o calor que brota da terra é que ilude os olhos, curva os raios do sol, faz parecer que as montanhas tremem. Os corvos voam normalmente à procura de comida. Grasnam. Não se ouve nenhum barulho humano. Nada além de suas sandálias pisando a areia que lhe entra pelas correias de couro, grudando-se nos calcanhares.

Abstraindo-se esses sons, que ele próprio já não escuta, há um silêncio angustiante. Profunda solidão. Mas o jovem Nazareno não é um caminhante comum. Não foi para lidar com demônios de nenhuma espécie que resolveu enfrentar o deserto. Não dessa vez. Tem um grande propósito em tudo que está fazendo. Deixou o vilarejo, a família e o passado para trás, e agora se aproxima das águas. Mais importante que tudo: aproxima-se do mestre, o rabino João Batista, profeta que faz batismos em águas correntes, águas com vida, para que as pessoas se arrependam de seus erros, lavem-se dos pecados e voltem aos caminhos divinos antes que a morte as venha surpreender. Não há nesse batismo qualquer lembrança do pecado cometido pelas figuras mitológicas de Adão e Eva, isso nascerá muito mais tarde.[16]

– *Raça de víboras! Quem ensinou a vocês um modo de fugir da ira que está por vir?*

João está falando do Julgamento Final de Deus, e podemos imaginar que o recém-chegado já o escuta enquanto se aproxima das águas.

O bem contra o mal.

A destruição dos injustos.

João está gritando.

– *O machado já está esperando na raiz das árvores, e toda árvore que não produzir bom fruto será cortada e lançada ao fogo!*

Ele segue pregando aos peregrinos, inclusive a coletores de impostos e soldados romanos que vieram mergulhar no rio e aprender que é preciso dividir o que se tem, não acumular riqueza nem abusar dos poderes que lhes são concedidos.[17]

Quando enfim se desvencilha do povo e se apresenta a João, quando veste a túnica branca e se junta ao grupo de religiosos na beira do rio, ele é apenas mais um entre os discípulos.[18] E temos a impressão de já conhecê-lo tão bem, mesmo sem saber ao certo sua idade, pois nunca nos dirão quando foi exatamente esse dia em que o filho de José se juntou ao filho de Zacarias. Ainda não sabemos tampouco se tem as qualidades de um pregador. E como poderíamos se, por enquanto, não disse uma única palavra?

ALEXANDER ANDREYEVICH IVANOV
A APARIÇÃO DE CRISTO AO POVO (1837-57)
Galeria Tretyakov, Rússia

No dia em que finalmente colocar para fora tudo o que traz em sua mente, e curar doentes, e levantar defuntos, e pregar o amor incondicional, e tocar os corações que o escutam, o jovem que chega para ser batizado passará a ser conhecido como Cristo, pois assim falarão dele no dia em que começarem a contar sua história para antioquenos, gregos e romanos. Mas aqui no Jordão, aqueles que já aprenderam seu nome o estão chamando apenas de Jesus. Coisa de companheiros. Há ainda um ou outro que preferirá o apelido de Nazareno, pois foi de Nazaré que ele veio. E Jesus, que fique bem claro, não é nome tão raro.

No momento em que prepara seu espírito para ser batizado, quando imaginamos sua túnica molhando-se na beira do rio pela primeira vez,

Jesus ainda não está pronto para estabelecer seu reino. Nem para enfrentar os sacerdotes corruptos ou falar de amor. Não seria sacrilégio algum se disséssemos que ele entra na História pelas mãos do profeta João Batista, e pensa, primeiro, em quão importante é para ele experimentar o ritual de purificação com água que um dia será também, com algumas mudanças, o ritual de iniciação na religião daqueles que o seguirem.

Mas, pelo que dirão os Evangelhos, João já percebeu que está diante de alguém iluminado. Mais iluminado até do que ele próprio.

– *Eis o Cordeiro de Deus que tira o pecado do mundo!* – Estas terão sido as palavras do Batista, não nesse primeiro encontro, ou reencontro de primos, mas noutro dia, ao relembrar a chegada de Jesus para a sessão de orações e arrependimento.[19]

Quando for escrito, o Evangelho de Lucas ainda contará que Jesus e João são filhos das primas Maria e Isabel, e nascidos com missões criteriosamente definidas pela vontade divina, muito bem representada pelo santo Espírito de Deus, que terá descido sobre as duas mães nos dias em que engravidaram. Isabel primeiro, Maria alguns meses depois.

Houve um homem enviado por Deus... seu nome era João... Ele não era a luz... mas veio para testemunhar a luz, dirão as escrituras ao afirmarem que ele, *a voz que clama na natureza selvagem*, percebeu algo de divino no Nazareno que lhe apareceu.[20]

E não poderia haver nada mais simbólico do que um profeta anunciar a chegada de alguém que o supera, ainda que outras fontes jamais nos digam que João Batista está vendo em Jesus tudo o que aqueles que assinarão Mateus, Marcos, Lucas e João dirão que ele viu.

Certo é que o Nazareno agora se equilibra, pisa as pedras grandes enquanto vai entrando na parte mais funda do rio. Precisa enfrentar as águas frias e a correnteza do Jordão. E enquanto vai seguindo os passos de João Batista, caminha dentro das águas. Não é sempre que pode andar sobre elas. E talvez nem saiba que um dia terá esse poder.

2 | O NASCIMENTO DO FILHO DO ALTÍSSIMO

Os povos farão guerras...
E batalhas se multiplicarão...
Até que surgirá o reino do povo de Deus.[21]

A expectativa pela chegada do Messias, o filho de Deus, trazendo a salvação da humanidade, exatamente como nas palavras acima, estará num pergaminho encontrado por um beduíno, em 1945, na enorme biblioteca que os essênios deixarão escondida por quase dois milênios nas cavernas do mar Morto.

Ele será chamado Filho de Deus...
Eles o chamarão Filho do Altíssimo.

Assim prosseguirá o pergaminho, com a profecia que estará, de maneira muito parecida, nas palavras que os Evangelhos atribuirão ao anjo Gabriel, no episódio em que o mensageiro de Deus anuncia a Maria que ela está grávida e terá um filho chamado Jesus.

Ele será grande...
Será chamado Filho do Altíssimo...
Filho de Deus.[22]

SANDRO BOTTICELLI
A ANUNCIAÇÃO
(C. 1485)
MET, Estados Unidos

Os religiosos essênios conhecem bem os manuscritos que falam do filho do Deus. Acreditam que é preciso estar longe da confusão das cidades para, *na natureza selvagem, abrir o caminho... preparar no deserto uma estrada para o nosso Deus.*[23] E eles leram no livro bíblico do profeta Daniel que um ser humano virá *sobre as nuvens do céu* e receberá poderes para estabelecer um reino que *jamais será destruído.*[24]

Até mesmo cristãos, muitas vezes padres com conhecimento de teologia e arqueologia, afirmarão que João Batista, o antecessor de Jesus, viveu uma parte importante de sua vida na comunidade essênia do mar

Morto. E será impossível não perceber as semelhanças entre os essênios, João e Jesus.

Mas por que será que os Evangelhos jamais mencionarão essa seita judaica que usa o batismo para alcançar a remissão dos pecados? Será porque os iniciados juraram jamais falar de sua comunidade religiosa? Por que afinal o próprio Jesus ignoraria a existência de um grupo que pensa tão parecido com ele?

Seria possível especular, e causar espanto, mas não há qualquer prova de que Jesus tenha vivido entre os essênios, ainda que faça todo o sentido pensar que tenha convivido com alguns deles no tempo que passou com João Batista. Estudiosos defenderão a tese de que Jesus não poderia ter se tornado um intelectual de grande estatura, capaz de mudar o mundo, se não tivesse passado longo tempo em salas de estudo com grandes mestres, ou numa biblioteca onde pudesse se aprofundar nas escrituras judaicas.

É uma tarefa difícil separar o que era novo e original nos ensinamentos de Jesus daquilo que ele aprendeu com os essênios e outros judeus, afirmará o reverendo Charles Potter, ao tentar desvendar o que chamará de *anos perdidos* de Jesus.[25]

A humanidade avançará dois mil anos. O ser humano descobrirá, entre inúmeras outras coisas, que a Terra é redonda e que ele evoluiu do macaco, e ninguém terá encontrado prova cabal de que Jesus tenha passado um único dia sentindo-se *filho da luz*, como parte da comunidade dos essênios. No entanto, é preciso admitir quão difícil será negar essa possibilidade. Os indícios serão muitos, e muito filosóficos.

Sobre João Batista, inúmeros estudiosos, até mesmo entre os mais céticos, terão certezas. Depois de conhecer os pergaminhos encontrados nas cavernas do mar Morto, dirão que o precursor de Jesus terá necessariamente que ter sido um essênio. A hipótese mais aceita será a de que João viveu durante um tempo na comunidade, decidiu sair e desenvolveu os rituais até dar a eles a forma que será relatada pelos Evangelhos.[26]

Ainda que, por alguma razão desconhecida, não tenha sido condenado à fome como acontece aos desertores, ainda que provavelmente continue em boa convivência com os essênios, João não terá vida longa, pois estão tramando sua morte.

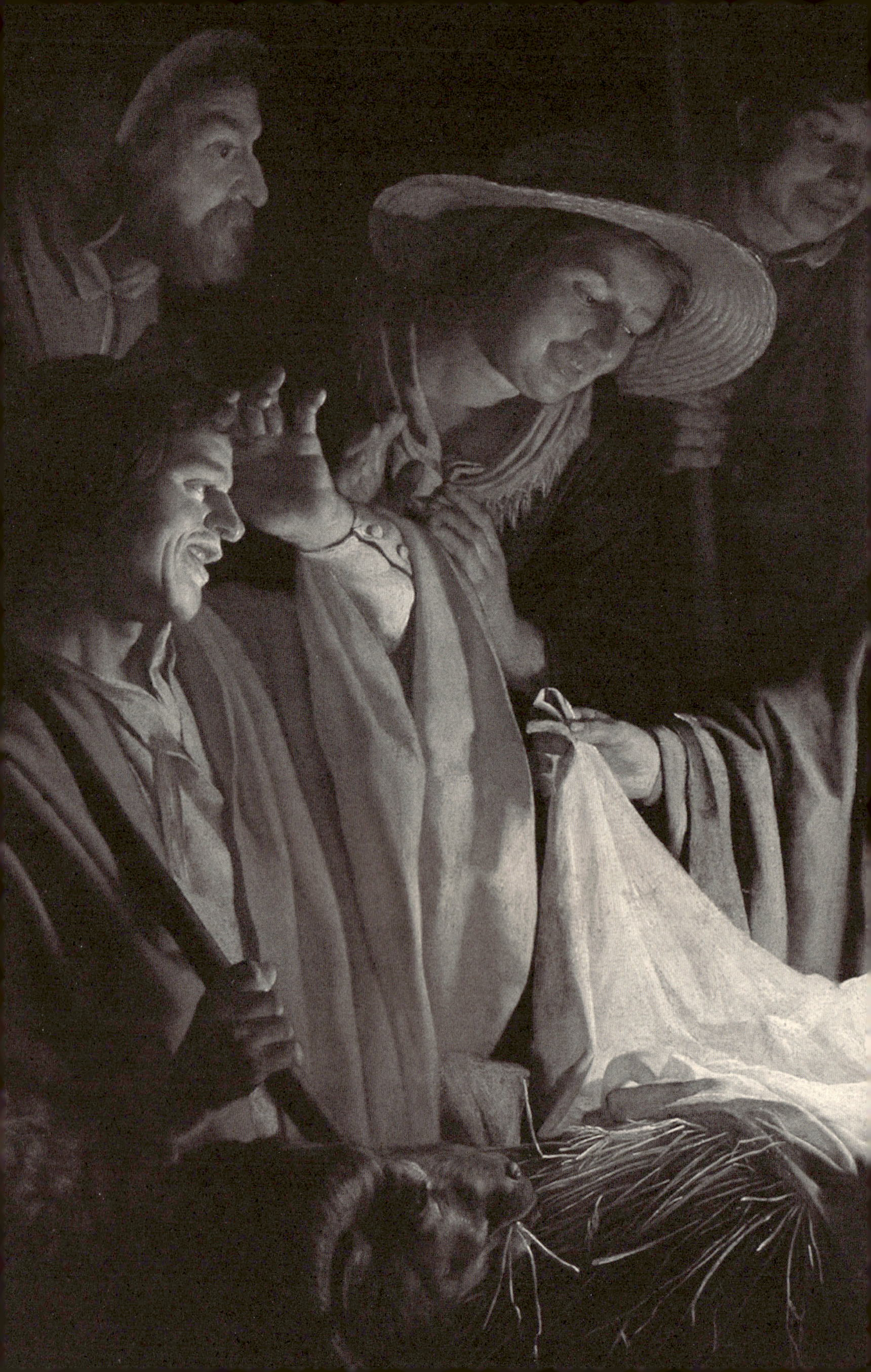

GERARD VAN HONTHORST
A ADORAÇÃO DOS PASTORES (1622)
Museu Estatal da Pomerânia, Alemanha

Saduceus e fariseus viajaram de Jerusalém até onde o rio Jordão se aproxima do mar Morto para ouvir seu depoimento, numa espécie de interrogatório religioso e político, querendo certamente que ele se incrimine, talvez dizendo ser rei ou messias, talvez esbravejando contra o imperador e seus asseclas, pois é bem sabido que os romanos criaram um sistema de poder viciado em favores e recompensas, transformando sacerdotes em exímios delatores.

Conforme o Evangelho de Marcos nos informará, depois que a cabeça de João Batista for cortada, seus seguidores contarão que ele *foi ressuscitado dos mortos, e por isso os poderes operam através dele.*[27] E os Evangelhos dirão também que o rei Herodes Antipas ficará atordoado ao saber dos milagres realizados por Jesus, confundindo os dois, pensando que o Cristo e o Batista são a mesma pessoa.[28] [29]

Mas tenhamos calma, pois João ainda está vivíssimo, com a água do rio lhe batendo no peito, atento ao jovem cordeiro que, muito antes de ser sacrificado, chegou para ser batizado. Ainda que seja um protagonista de seu tempo, tão importante que incomoda os poderosos, muito em breve o precursor de Jesus vai viver o momento que lhe garantirá o papel de coadjuvante mais conhecido da História da humanidade.

JAMES TISSOT
SÃO JOÃO BATISTA E OS FARISEUS (1886-94)
Museu do Brooklyn, Estados Unidos

3 | OS ANOS DE PREPARAÇÃO

Não sabemos por quanto tempo Jesus conviveu com João Batista, pois nenhuma fonte segura nos informará o que o filho de Maria andou fazendo na adolescência. Nem no começo da juventude. Ninguém nos dirá também quanto tempo o Nazareno passou ao lado do profeta dos batismos antes de resolver que ele próprio queria ser batizado.

Terá vindo mergulhar nas águas do Jordão logo que chegou de Nazaré? Ou conviveu com João Batista por algumas semanas, até mesmo alguns anos, antes de chegar para ser batizado e desenvolver as qualidades de pregador?

Um dos Evangelhos nos contará que, aos doze anos, Jesus esteve entre os sábios de Jerusalém, demonstrando um conhecimento incomum sobre as coisas do homem em suas relações com Deus. Esqueceu-se da vida, e quase matou Maria de preocupação.

– *Meu filho, por que você fez isso com a gente? Olha que seu pai e eu estávamos aflitos, procurando-o.* – Estas teriam sido as palavras de sua mãe, ao reencontrar o filho depois de três dias.[30]

– *Por que vocês me procuravam? Não sabiam que devo estar na casa do*

JAMES TISSOT
JESUS ENTRE OS SÁBIOS
(1886-94)
Museu do Brooklyn,
Estados Unidos

ALBRECHT DÜRER
JESUS ENTRE OS SÁBIOS (1506)
Museu Thyssen-Bornemisza, Espanha

meu Pai? – Jesus teria respondido, referindo-se ao Templo como a casa de Deus, coisa que mais tarde desafiará, mudando para sempre a História da religião. E isso acontecerá no dia em que encontrar uma mulher samaritana diante de um poço e lhe disser que *está próxima a hora em que vocês não adorarão o Pai nem neste monte* [Garizim, na Samaria]*, nem em Jerusalém*, como se dissesse que não é necessário chegar a Deus usando intermediários, pois o Templo está dentro de nós.[31]

Mas... e depois desse encontro com os sábios? Jesus terá seguido o exemplo de João Batista, indo viver numa comunidade fechada e ultraortodoxa para se tornar mestre ou rabino? Terá aprendido em tal comunidade que um dia irão todos habitar um Reino de Deus onde as almas encontrarão muito mais alento do que na podridão da terra? Terá ouvido falar de um sacerdote a quem, muito antes de seu nascimento, a comunidade essênia chamava de filho de Deus, o homem que atendia pelo título de Mestre da Virtude? E mais ainda: terá aprendido com os essênios que um dia *o Espírito Santo terá fundações sólidas aqui na terra,* e que, nesse dia, *a expiação dos pecados será feita de maneira muito mais efetiva do que por meio de qualquer carne oferecida em sacrifício*?[32]

Será exatamente isso que acontecerá depois de Jesus. Os cristãos irão entender que o sacrifício animal como forma de se obter o perdão dos pecados será abolido depois da morte na cruz e substituído pela Eucaristia.

Estudiosos verão, ainda, muitas outras semelhanças, e também diferenças, entre as duas filosofias religiosas.

O famoso trecho que o apóstolo Paulo usará em três de suas cartas, dizendo que *o justo viverá pela fé,* será um desses exemplos. Vem do livro de Habacuque, do Antigo Testamento judaico, e já havia sido interpretado pelo Mestre da Virtude muitos anos antes de Jesus. Faz parte da filosofia dos essênios.[33]

Quem ouvir mais tarde o sermão de Jesus na Montanha também poderá ficar impressionado com as semelhanças de suas palavras com os manuscritos essênios. Ainda assim, não se encontrarão provas definitivas sobre uma relação direta entre eles.

Haverá muitos teóricos procurando explicações para os anos de preparação de Jesus, descartando a hipótese essênia e afirmando teses que escandalizarão os cristãos: que ele terá viajado durante os chamados *anos perdidos* de sua adolescência e juventude para viver na Caxemira e no Tibete, onde terá aprendido sobre o budismo, tornando-se maior do que o Dalai Lama. Outros teóricos dirão que Jesus terá viajado ao Japão, à Pérsia, à Assíria, à Grécia e ao Egito, onde terá acumulado conhecimento para voltar à Judeia e fundar uma religião própria. As teses, consideradas absurdas pelos cristãos, serão desprezadas pela maioria dos estudiosos. No entanto, servirão de base para o surgimento de inúmeras seitas, que irão inserir elementos do cristianismo em outras tradições religiosas, como o farão, por exemplo, os muçulmanos Ahmadia.[34]

Certo é que, depois de passar aproximadamente dezoito anos adquirindo conhecimento e preparando seu espírito, por volta dos trinta anos, o filho de José e Maria está num lugar muito próximo da comunidade dos essênios e vai ser batizado por João Batista. Conforme os Evangelhos dirão, o profeta o recebe nas águas de braços abertos.

– *Depois de mim vem aquele que é mais forte que eu, de quem não sou digno de desatar a correia das sandálias.*[35]

Os dizeres que aparecerão nos Evangelhos não terão nenhuma coincidência com os relatos que estarão no livro que contará a vida de João Batista, mas serão eternizados, e fundamentarão grande parte da doutrina cristã.

– *Eu batizei vocês com água... Ele, porém, os batizará com o Espírito Santo e em fogo* – terá anunciado João Batista.[36]

Fato indiscutível é que Jesus está vendo em João as qualidades de um grande profeta, e se sente confortável para ser batizado por ele. É um momento sagrado. Os dois estão juntos nas águas do rio, prestes a dar início a uma nova era.

ANGELICA KAUFFMAN
CRISTO E A SAMARITANA
JUNTO AO POÇO (1796)
Nova Pinacoteca, Alemanha

GUIDO RENI
O BATISMO DE CRISTO
(C. 1622-23)
Museu de História da Arte de Viena, Áustria

4 | O GRANDE DIA

A paisagem em volta é tão seca que dirão que João Batista está no deserto, mesmo quando sabemos que está na água, proclamando um batismo de arrependimento para perdoar os pecados daqueles que o procuram.

Quando está fora do rio, João veste seu corpo com pelos de camelo. Ele usa também o cinturão de couro que é parte da vestimenta habitual dos essênios. E um dia contarão que se alimenta de mel e gafanhotos, o que não deixa de ser o cumprimento das ordens bíblicas, pois a lei de Moisés determina que gafanhotos são insetos puros, próprios para o consumo – principalmente quando se está isolado.[37]

O *Livro de João Batista*, um manuscrito gnóstico que muitos cristãos desejarão ver na fogueira, afirmará que Jesus pede a João para ser seu discípulo, prometendo que mencionará o nome dele no dia em que tiver seu próprio Evangelho. E pede também para ser batizado.

– *João, me batize com seu batismo e também derrame sobre mim aquele nome* [Deus] *que você costuma pronunciar.* – Estas teriam sido as palavras de Jesus no momento que antecedeu seu batismo.[38]

Mesmo sem ter certeza de qual é o diálogo entre os dois, podemos ver

João Batista conduzindo a cabeça de Jesus para baixo, e fazendo com que ele mergulhe no rio Jordão. Talvez o momento não tenha tido a solenidade que muitos imaginarão. Será o maior entre todos os batismos, mereceria a maior das cerimônias, mas João faz esse ritual praticamente todos os dias, e não é difícil pensar que, alguns minutos depois, estará batizando um simples discípulo ou peregrino que acabara de chegar.

Ainda quando Jesus está sendo iniciado, quando acaba de se levantar da água e, portanto, quando podemos imaginá-lo com os cabelos molhados, a História da humanidade está mudando de rumo, como um rio desviado de seu curso original, ou, como muitos preferirão, um rio que tem seu curso corrigido para chegar aonde sempre se soube que deveria chegar.

Pelos próximos dois milênios será contado que Jesus, João e seus discípulos viram o céu se abrir e que o santo Espírito de Deus desceu *como uma pomba* para chegar até Jesus. Até que uma voz ecoou pelo vale do Jordão, dizendo *tu és meu filho amado*![39]

Mais do que qualquer outra coisa, no período em que conviveu com os discípulos de João, Jesus mergulhou em conhecimento e ressurgiu da experiência como um novo homem, renascido, pronto para começar sua missão terrena. Os Evangelhos nos contarão que, ao batizar Jesus, depois de ter passado muito tempo batizando centenas ou milhares de pessoas, João Batista negou aquilo em que muitos de seus seguidores acreditam e continuarão acreditando: que ele próprio poderia ser o Cristo, o tão esperado Messias enviado por Deus para salvar seu povo escolhido.

Mas por que, afinal, será tão necessário começar os Evangelhos afirmando quanto Jesus foi considerado importante por um outro pregador de seu tempo? Será que os primeiros cristãos estarão em choque com os seguidores do Batista e acharão importante reafirmar a seus fiéis que João não pode ter sido o Messias justamente porque o reconheceu em Jesus? Ou foi só depois do reconhecimento de João que se descobriu a verdadeira importância de Jesus?

Pelo que contará o Evangelho de Mateus, João Batista não teve a menor dúvida sobre seu papel como coadjuvante da história. Teria até tentado desistir do ritual, dizendo que Jesus não precisava ser batizado.

– *Eu é que tenho necessidade de ser batizado por você, e você vem até mim?*

IL MORETTO DA BRESCIA
CRISTO NO DESERTO
(C. 1515-20)
MET, Estados Unidos

– *Deixa estar por enquanto... pois assim nos convém cumprir toda a Justiça.* – A resposta de Jesus para justificar seu desejo de ser batizado teria sido essa mesma, sem contundência.[40]

E essa falta de clareza acabará criando um problema para os primeiros cristãos, pois eles precisarão explicar como foi possível que o filho de Deus, que não carregava a culpa do Pecado Original, tivesse se submetido ao ritual de purificação que cabia aos seres humanos comuns.[41]

Será que assim Jesus se identifica com os pecadores e se apresenta como modelo para o futuro batismo dos cristãos? Muita gente acreditará que sim. Mas essa decisão aparentemente contraditória de Jesus terá consequências, provocará discussões, sem que jamais se encontre uma resposta satisfatória aos ouvidos mais criteriosos, ansiosos por uma explicação que os Evangelhos não apresentarão.

Enfim, pelo que contarão, depois de experimentar o ritual de purificação, Jesus está se preparando para ir ao deserto, onde vai ser tentado pelo diabo.

Será recebido por anjos e conviverá exclusivamente com os animais selvagens, como se estivesse momentaneamente no paraíso do Éden, de onde os humanos, dizem que por causa de Eva, foram expulsos justamente por serem pecadores e cederem às tentações.

5 | TENTAÇÕES

Imaginemos seu corpo magro sentado na entrada de uma caverna, esperando pacientemente, meditando em silêncio. Ficou dias e dias ali sem comer, só pensando. Até que uma hora o desgraçado acabou chegando, com a arrogância que se espera de um demônio, desejando seduzir Jesus justamente quando ele está mais fraco, quase morrendo de fome.

– *Se você é o filho de Deus, mande que essas pedras se transformem em pães* – o diabo lhe diz.

– *Está escrito: não só de pão vive o homem, mas de toda palavra que vem da boca de Deus.* – Teria sido assim a primeira recusa de Jesus.[42]

Mas diabo que é diabo não desiste fácil. E ele ainda consegue levar Jesus até o alto de uma montanha para lhe oferecer *todo o poder e a glória existentes no mundo*.

Não custa nada, não é verdade?

É só se curvar aos pés do diabo...

Jesus, no entanto, resiste de novo.

O que ninguém explica é como o diabo consegue mais uma vez levá-lo aonde quer. Eles agora viajam até Jerusalém, a cidade que mesmo sendo santa virou um antro de corrupção, tão deplorável que vai ser evitada por Jesus até o momento em que ele decidir enfrentar os poderosos para morrer na cruz.

Não é curioso que o Satanás ande à vontade pela terra que dizem ser a morada do Criador? E ainda querendo seduzir aquele que se apresenta como filho de Deus?

– *Se você é filho de Deus atire-se para baixo, porque está escrito: Ele dará ordem a seus anjos a seu respeito, para que o guardem.*

Depois de insistir por três vezes em sua ladainha de falsidade, o diabo descobre que Jesus não quer mais conversa.

– *Não tentarás o Senhor, teu Deus!* – Jesus diz, para logo em seguida ver o diabo partir.[43]

Os Evangelhos não serão biografias. Optarão pelo *kairós*, o tempo oportuno, em vez do *kronos*, o tempo histórico, e por isso não seguirão a cronologia exata dos acontecimentos. Eles nos deixarão sem saber, por exemplo, para onde Jesus foi ao sair do deserto. Mas tudo indica que se juntou novamente ao grupo que fazia batismos nas águas do Jordão. Pois, provavelmente, é por meio deles que o Nazareno fica sabendo da notícia que fará sua vida mudar radicalmente: João Batista foi preso.

Contarão que João andou maldizendo o casamento do rei Herodes com Salomé, pois a moral que está em cada um dos atos do pregador, e em cada uma de suas palavras, jamais aceitará o casamento de uma mulher divorciada, sem razão aparente, ainda mais porque o ex-marido de Herodíade é o irmão do rei.

WILLIAM DYCE
HOMEM DE AFLIÇÕES
(C. 1860)
Galeria Nacional da Escócia, Reino Unido

Mas o motivo da prisão pode ter sido também aquele que atordoará os romanos ainda por muitos anos, até que eles resolvam prender e matar todos os que lhe aparecerem pela frente: disseminação de revolta contra o poder de César.

A rebelião contra Roma é uma consequência política direta da crença religiosa dessa nova geração de messiânicos, pois a ideia de que o Salvador expulsará os estrangeiros que oprimem o povo de Israel está na raiz de suas crenças, assim como estava na pregação que João fazia até o momento em que soldados chegaram para arrancá-lo daquele rio de arrependimentos.

Seja por causa de sua língua afiada contra o casamento de Herodes ou da acusação política que lhe fazem, fato é que levaram João para a prisão, o acorrentaram e, em breve, vão lhe cortar a cabeça.

Sem o líder, os discípulos estão desorientados. Cordeiros sem pastor. Não há mais aquela calma de todos os dias, quando saíam de suas moradias vestindo túnicas brancas, caminhando sob a lua azulada, e depois rosada, e mais tarde amarela. A escuridão romana está aterrorizando os *filhos da luz*.

Mas, assim mesmo, é preciso encontrar um novo pastor. E ainda que Jesus de Nazaré tenha estado com eles no momento em que chegou a notícia apavorante, ainda que talvez tenha até testemunhado o instante em que João Batista foi levado pelos soldados romanos, não é nele que os discípulos do profeta estão pensando para guiá-los.[44] Por outro lado, Jesus resolveu que, se João está preso, não há motivo para permanecer às margens do rio. Quer fazer nova travessia pelo deserto, e seguir seu próprio caminho.

Mas por que será que é justamente depois da prisão de João Batista que Jesus decide voltar à região onde passou os primeiros anos de sua vida? Será que precisa fugir para não ir cedo demais para as mãos dos soldados que levaram aquele que o batizou? Ficará mais seguro perto de casa, longe de Herodes e dos sacerdotes delatores?

Podemos especular, mas não há testemunhos nem provas concretas que nos expliquem por que, depois de experimentar o ritual de purificação nas águas a oeste de Jerusalém, Jesus decidiu subir rumo ao norte para voltar à terra onde viveu seus primeiros anos.

JAMES TISSOT
JESUS ASSISTIDO POR ANJOS (1886-94)
Museu do Brooklyn, Estados Unidos

Sobram motivos no entanto.

Desde que o imperador de Roma passou a ser considerado o próprio Deus, o clima só tem piorado para revolucionários, pregadores do fim dos tempos ou qualquer um que possa tirar a tranquilidade de quem ocupa essa terra estrangeira com a missão dificílima de controlar judeus e samaritanos.

Os romanos os andam matando impiedosamente, como fizeram com o gigante Atronges, depois que ele próprio se coroou e se proclamou rei dos judeus. Como fizeram também com um homem de apelido Samaritano, crucificado pelo prefeito Pôncio Pilatos depois de sair pelas ruas se dizendo messias. Como fizeram ainda com Judas, o Galileu, fundador da seita dos zelotas, que pregava que só Deus poderia governar suas vidas e que os impostos romanos eram piores que a escravidão.[45]

Contrariando a crença que será difundida por certos grupos cristãos, de um doce Jesus que caminha pacificamente pelo campo fazendo sua pregação, ou de um Jesus alienado, que não está nem aí para as turbulências sociais e políticas de seu tempo, a decisão de viajar logo depois da prisão de João Batista mostra claramente que, se ele um dia aceitar que ser morto e crucificado faz parte do plano divino, essa hora ainda não chegou. Jesus tem consciência do mundo desumano em que vive, carrega fúria e amor dentro de si e ainda tem muito a fazer nesta terra. Precisa estar vivo para isso. E o Evangelho de Marcos não deixará dúvidas: *depois que João foi traído, Jesus foi para a Galileia.*[46]

PIETER DE GREBBER
JOÃO BATISTA PREGANDO
DIANTE DE HERODES
ANTIPAS (C. 1640)
Palácio de Belas-Artes de Lille, França

6 | JESUS ENCONTRA OS PRIMEIROS DISCÍPULOS

Jesus está mudando tão profundamente que não será exagero dizer que nunca mais será o mesmo. Quando terminar essa caminhada para o norte e recomeçar a vida na Galileia, vai deixar de ser um religioso ultraortodoxo, daqueles que vivem de reza, sempre estudando os livros sagrados e os seguindo quase que cegamente, para se tornar um pregador carismático, autêntico, independente, que não quer saber de instituições nem de qualquer outra coisa que o amarre – a não ser que seja a sua própria comunidade, onde ele possa decidir o que é certo ou errado, e, mais do que isso, reinterpretar as escrituras sagradas de acordo com o que ele entende que deve ser a relação dos humanos com seu Deus, a quem ele começa a chamar de pai.

Se foi discípulo, quer agora ser professor.

E, no momento em que começar, usará suas qualidades de orador para emocionar o povo e arrebanhar discípulos. Fará milagres, será chamado de mestre, rabino e também, desdenhosamente, de mágico. Criará inimigos, pois muita gente vai entender que ele está colocando em risco ao mesmo tempo a religião milenar dos judeus e a ordem política que beneficia os sacerdotes poderosos. Vai se tornar tão popular que

DOMENICO GHIRLANDAIO
CHAMADO DOS APÓSTOLOS (1481)
Capela Sistina, Vaticano

vão querer tocá-lo apenas por tocar um corpo sagrado. Vão lhe pedir a cura de pessoas que ele nunca verá, e, quando a fama sair de controle, precisará montar estratégias de fuga para não ser esmagado pelas multidões.

Antes disso, no entanto, no momento em que nos encontramos, podemos imaginar o pregador solitário entrando na Galileia pela terra seca. Seus pés estão machucados da viagem que o trouxe de volta, e o fez ficar novamente diante das águas.

Dizem que é um mar, mas é puro exagero. Essa imensidão de água que sempre foi um oásis na Galileia não é mais que um grande lago, que se conhece também como Tiberíades ou Genesaré. E ali na frente está a vila do Consolador, *Kfar Nahoum*, conhecida para sempre como Cafarnaum. É onde o pregador encontra aqueles que serão seus primeiros discípulos.

Pela tradição judaica, pelo que nos contam os livros do Antigo Testamento, discípulos escolhem seus mestres, e não o contrário. Jesus, no entanto, é exceção rara, como o foi Elias ao jogar seu manto de sabedoria sobre Eliseu para tê-lo como seguidor.[47]

Caminhando pela praia, Jesus avista dois pescadores e os convida a segui-lo. Um deles é Simão, a quem Jesus rebatizará como Cefas, nome que mais tarde será adaptado às línguas latinas como Pierre, Pietro, ou Pedro, querendo dizer *pedra*. E o Evangelho de Marcos, sempre nos apresentando o Jesus mais humano, não perderá tempo com poesia. Pelo que nos contará seu autor, os dois pescadores largaram suas redes imediatamente e seguiram Jesus. O mesmo dirá o Evangelho de Mateus.

Lucas, no entanto, contará que antes disso houve um milagre. De cima de um dos barcos, Jesus disse a Pedro para se afastar da margem. Fez sua pregação e, em seguida, pediu que ele e seu irmão André lançassem as redes na água.

– *Mestre... trabalhamos a noite inteira e não pescamos nada.*

Ainda assim, Pedro resolveu seguir os conselhos do pregador, e todos pescaram tanto que as redes começaram a se romper. Depois, os barcos lotados de peixes quase afundaram. Pedro se curvou diante de Jesus e lhe disse:

– *Afaste-se de mim, Senhor, pois eu sou um pecador!*

A rejeição de Pedro é típica dos primeiros encontros com Jesus. É assim também que acontece na chegada de anjos. Não é fácil crer neles nem seguir suas instruções. Mesmo mais tarde, cristãos hesitarão muitas vezes diante dos desafios que suas vidas lhes apresentarem. E, de certa forma, Pedro é a metáfora, o eterno exemplo.

Mas, olhando apenas para o tempo e o lugar em que estamos, as palavras de Pedro, dizendo-se *pecador*, estão de acordo com o que ficamos sabendo. Pescadores da Galileia andam envolvidos com planos revolucionários para livrar os judeus do sufoco que lhes é imposto por Roma. Muitos fazem parte do grupo dos zelotas, e muitos outros, como os violentos sicários, vêm cometendo crimes nacionalistas, inaugurando o terrorismo que mais tarde resultará numa grande revolta contra os romanos. Por enquanto ainda são discretos, escondem suas pequenas espadas debaixo das roupas.

O pescador Pedro também anda com uma espada ao alcance da mão e saberá muito bem usá-la para cortar a orelha de um soldado romano nos momentos que antecederem a crucificação de Jesus.[48] [49]

– *Não tenha medo... De agora em diante você será um pescador de pessoas!* – Jesus diz, no momento em que reúne seus primeiros discípulos.

Além de Pedro, se juntam a ele também seu irmão André e os irmãos João e Tiago, identificados como filhos de Zebedeu. O Evangelho de João dirá que pelo menos alguns dos primeiros discípulos de Jesus foram, antes, discípulos de João Batista.[50]

Quando chega o sábado, Jesus e seus quatro seguidores vão a uma sinagoga em Cafarnaum, onde há um homem com espírito impuro, que grita como um satanás, ordenando que Jesus vá embora.

– *O que você quer com a gente, Jesus de Nazaré? Você veio para nos destruir? Eu sei quem você é... o Ungido de Deus!*

Jesus, então, pratica um ato de exorcismo, dando uma ordem ao espírito diabólico.

– *Fique em silêncio... e saia de dentro dele!*

Conta-se que o espírito diabólico provocou convulsões no corpo do homem, o fez gritar muito alto e o abandonou.

Dizem que, depois de encarar o diabo, Jesus curou a febre da sogra de Pedro e promoveu uma série de curas em pessoas doentes, todas elas com demônios no corpo.[51]

Noutro dia podemos vê-lo chegando a mais uma sinagoga onde encontra público para apresentar sua mensagem.[52] Aliás, diga-se antes que se esqueça, sinagogas, *bait knesset*, são casas de reunião, estudo e oração, muitas vezes mantidas por pessoas da comunidade, onde ninguém espera pela presença de Deus. Afinal, ainda se acredita que Deus vive numa arca, dentro de um lugar sagradíssimo chamado Santo dos Santos, no Templo de Jerusalém.

Jesus ainda não disse que Deus habita em outros lugares. Ainda não apresentou ao mundo sua mensagem de amor. Nem pediu aos discípulos que peguem suas espadas. Enquanto dá seus primeiros passos, está questionando a honestidade daqueles que o escutam, perguntando-lhes se a vida deles é coerente com aquilo que repetem aos ventos em orações sem verdade. Mais que isso. Está começando a ficar conhecido pela habilidade de curar doenças. E agora se apresenta como sendo ele próprio o cumprimento das profecias feitas por Isaías e Daniel alguns séculos atrás.

RAFAEL SANZIO
A PESCA MILAGROSA
(1515)
Victoria and Albert Museum, Reino Unido

A primeira pregação pública de que teremos notícias detalhadas é a que está começando agora em Nazaré, o vilarejo onde Jesus viveu com seus pais, onde alguns estudiosos afirmarão que poderá ter sido seu lugar de nascimento. Afinal, ele será também conhecido como Nazareno, e muita gente não vai entender por que Maria resolveria viajar distância tão grande durante a gravidez para ter seu filho em Belém. Falarão sobre um certo recenseamento romano, que terá exigido que José voltasse com a família à sua cidade natal, mas isso a História jamais confirmará.

Ao voltar ao lugar que chamava de casa, no entanto, não há registro de que Jesus tenha ido até a gruta que é a morada de sua família para visitar José e Maria. A relação deles será objeto de grande discussão, pois

vai chegar um momento em que o pregador dirá que os inimigos de um homem são seus parentes, pois *aquele que ama pai ou mãe mais do que a mim não é digno de mim.*[53] E, ao fazer isso, mais uma vez se parecerá com os essênios, pois sabemos que eles abrem mão de suas famílias para se dedicar a Deus e à comunidade.

Ninguém explicará direito como uma sinagoga da pequeníssima Nazaré pode se dar ao luxo de ter um pergaminho com as escrituras, mas, pelo que nos contará o Evangelho de Lucas, podemos agora ver o livro bíblico de Isaías se desenrolando nas mãos de Jesus.

Ouvimos sua voz, sem hesitação.

– *O Espírito do Senhor está sobre mim!*[54]

Uma famosa profecia de Isaías anuncia a vinda de um salvador que se preocupa com os pobres, com os deficientes físicos e, principalmente, com quem não tem liberdade. Jesus relembra um trecho da profecia que fala em libertação de presos.

– *Enviou-me* [o Espírito Santo] *para proclamar aos presos a libertação, e aos cegos a recuperação da vista.*[55]

Está pedindo para soltarem João Batista? Acusa Herodes Antipas de cegueira por não enxergar que prendeu um profeta de Deus?

Ele não explica.

Diz que foi enviado para devolver a dignidade aos oprimidos. E agora que já não precisa mais ler as palavras de Isaías, pois o discurso vem de suas próprias ideias, podemos vê-lo enrolando o pergaminho sagrado e o devolvendo ao homem que cuida da sinagoga.

– *Hoje se cumpriu em seus ouvidos essa passagem da escritura.*[56]

Se Jesus diz que a profecia está se cumprindo é porque ele foi ungido por Deus. Ungidos, abençoados com óleos, são os reis, os sacerdotes judeus, e alguns dirão que também profetas e patriarcas, como Abraão. Ainda que os antigos acreditassem que a redenção seria obra exclusiva de Deus, e não esperassem que o Messias descesse do céu para salvar o mundo, ele certamente seria ungido.[57]

O Evangelho de Lucas nos contará ao mesmo tempo sobre o encanto e o espanto dos judeus da sinagoga. Mas sabemos bem como é o povo. Muita gente só pensa em desimportâncias.

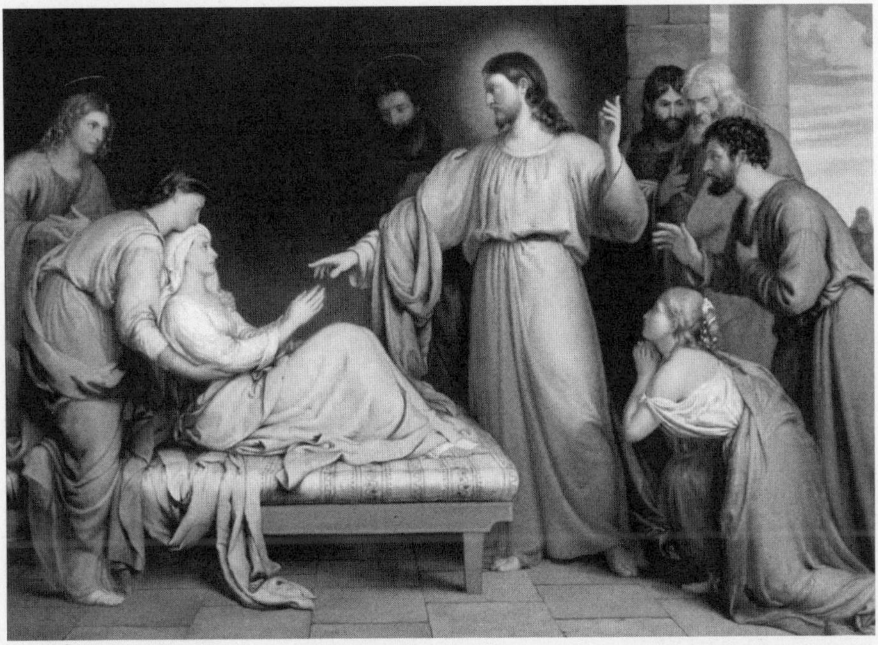

JOHN BRIDGES
CRISTO CURANDO A SOGRA DE SIMÃO PEDRO (1839)
Museu de Arte de Birmingham, Reino Unido

– *Não é o filho de José?* – alguém pergunta, demonstrando total desinteresse pelas questões proféticas.

Sim, o filho de José está de volta, mas de agora em diante se apresenta como o filho escolhido por Deus para trazer a boa notícia. E continua falando.

– *Certamente vocês vão me recitar o provérbio: "Médico, cura-te a ti mesmo... Tudo o que ouvimos dizer que você fez em Cafarnaum, faça também aqui na sua terra!"*[58]

Mas algo tira suas forças e o impede de promover curas em sua própria terra. Estudiosos verão nessa falta de proximidade com os conterrâneos a prova de que Jesus não terá passado sua juventude como carpinteiro ou construtor em Nazaré, pois não se sente em casa no vilarejo, e mais do que isso: terá necessariamente que ter passado esse tempo estudando, pois só isso explicaria o fato de entender tanto sobre a religião judaica a ponto de ensiná-la até mesmo aos doutores da lei.

Ele está cada vez mais nervoso, sem saber qual será a reação dos conterrâneos que o escutam pela primeira vez. Sim, ele pode ter nascido em Belém, na Judeia, mas, no coração, sua terra é Nazaré, na Galileia.

– *Na verdade, eu digo a vocês que nenhum profeta é bem recebido em sua terra* – ele se justifica, percebendo que não vai repetir ali as curas que fez em outros lugares, praticamente antecipando a confusão que vai começar em seguida.[59]

Quando Jesus resolve ofender aqueles que o escutam, elogiando um estrangeiro, acaba sendo expulso da sinagoga.

– *Havia muitos leprosos em Israel no tempo do profeta Elias, mas nenhum deles foi purificado senão o sírio Naamã.*[60]

Além de não fazer milagres, ele está insultando o profeta? Terá sido algo assim a indignação dos ouvintes em Nazaré. E o pregador rejeitado em sua terra vai sendo levado pelos conterrâneos até uma encosta. Estão querendo jogá-lo lá de cima, numa clara tentativa de assassinato. Mas Jesus consegue escapar. Tem agora uma segunda chance para seguir em sua missão. E, pelo que nos contará o Evangelho de João, fará um grande milagre.

7 | VINHO BOM

O mais provável é que, ao deixar Nazaré, Jesus tenha caminhado algumas horas com seus seguidores, levando sua mãe até Caná, pois o vilarejo é próximo, e há um casamento por lá. Não se deve confundir Caná com Canaã, pois a primeira é uma vila e a outra, mera semelhança entre os nomes, é a região inteira. E o casamento em Caná, pelo que mais tarde o Evangelho de João nos dirá, foi onde o filho de Maria realizou um milagre, ao transformar em vinho a água dos cântaros para que o casamento não terminasse apressadamente. E não terá sido casamento de gente rica, como irá sugerir o pintor Paolo Veronese em sua obra renascentista, ao retratar a cena diante de um palácio suntuoso com convidados tão bem-vestidos que parecerão reis.

Impossível.

É provável que o pintor tenha se inebriado ao pintar os cântaros, pois em casamento de noivos tão ricos não faltaria vinho, menos ainda no começo. E se Jesus dirá que é mais fácil um camelo passar pelo buraco de uma agulha do que um rico entrar no Reino dos Céus, certamente não terá feito uma parada em sua pregação para andar com a alta sociedade, ainda por cima oferecendo um grande milagre a quem tantos camelos possuísse.

PAOLO VERONESE
O CASAMENTO EM CANÁ (1563)
Museu do Louvre, França

É Maria quem percebe que há algo de errado, e pede ajuda ao filho.

– *Eles não têm mais vinho* – diz a mãe, constatando o problema.

– *O que quer de mim, mulher? Minha hora ainda não chegou.* – A resposta de Jesus será interpretada como um sinal de que ele sente que ainda é cedo para começar a fazer milagres, pois a hora determinada por Deus para sua glorificação não teria chegado.

Mas algo faz com que ele mude de ideia sobre o pedido da mãe. E Maria orienta os serventes.

– *Façam tudo o que ele disser!*

– *Encham os jarros com água... agora tirem um pouco e levem ao chefe dos serventes.* – São as ordens de Jesus.

Pelo que o Evangelho de João nos contará, um convidado, possivelmente uma espécie de padrinho, provou a água transformada em vinho, sem imaginar de onde teria saído. E foi elogiar o noivo.[61]

– *Todo mundo serve primeiro o vinho bom e, quando os convidados já estão embriagados, serve o vinho inferior... mas você guardou o vinho bom até agora!*

O vinho bom, teóricos cristãos entenderão, é a Nova Aliança que está sendo proposta por Jesus.

A cena será lembrada para sempre, fazendo das Bodas de Caná o casamento mais importante da História. Em grande parte, porque sustentará o amor dos católicos pela mãe de Jesus como intercessora, aquela que a qualquer momento é capaz de pedir a seu filho para atender aos anseios das pessoas comuns, mesmo que seja algo aparentemente desimportante como garantir que não falte vinho num casamento.

Os Evangelhos não se entenderão sobre a ordem dos acontecimentos, alguns relatarão fatos de que outros se esquecerão, mas o que podemos dizer com certeza é que, depois de algum tempo percorrendo a Galileia, Jesus está cada vez mais conhecido, e há uma multidão a segui-lo por onde quer que ele vá, mesmo que seja, como agora, pisando as pedras do deserto para chegar a mais um vilarejo.

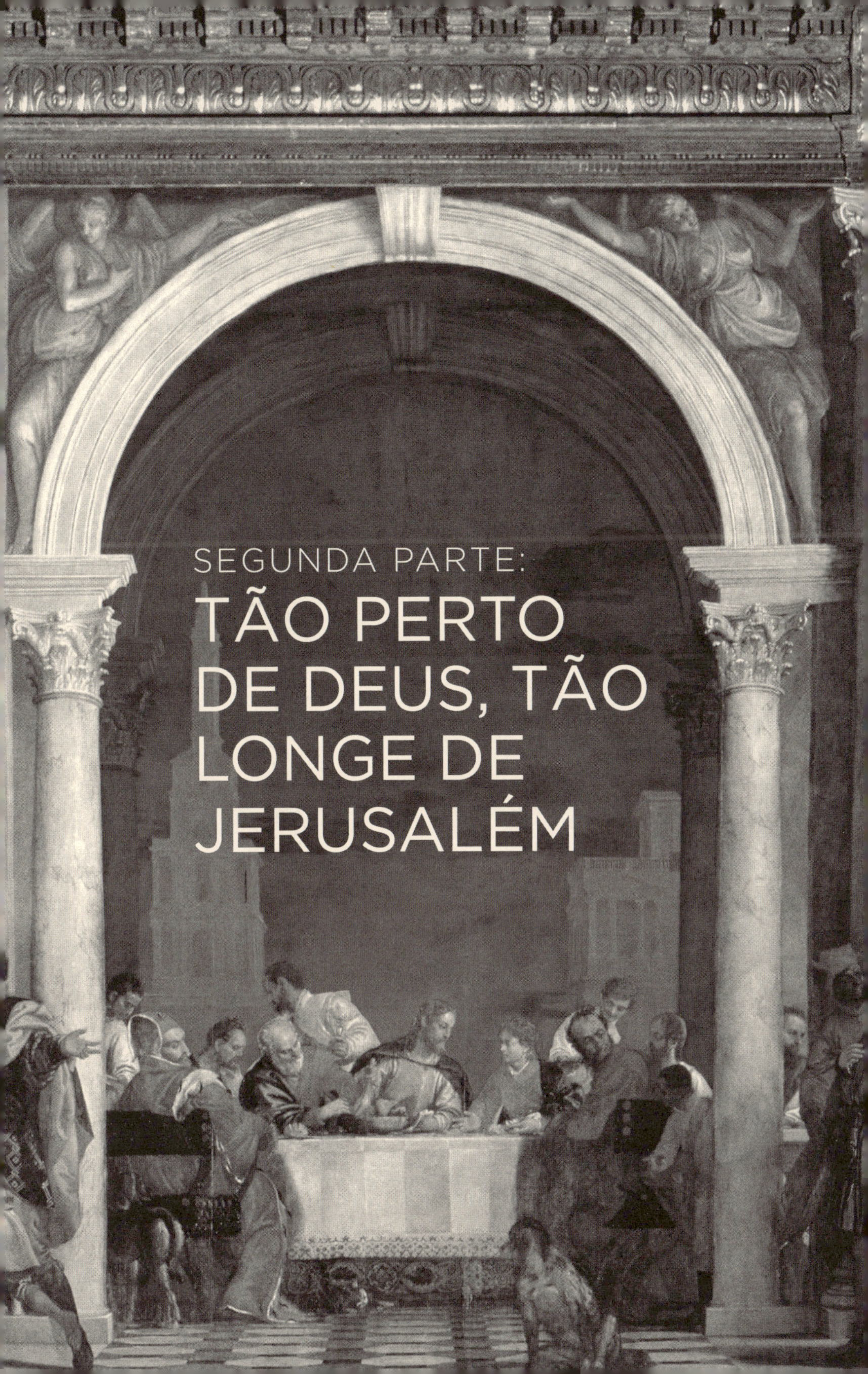

SEGUNDA PARTE:

TÃO PERTO DE DEUS, TÃO LONGE DE JERUSALÉM

BERNHARD RODE
CRISTO CURA UM
HOMEM PARALISADO
PELA GOTA (1780)
British Museum, Reino Unido

8 | A FAMA SEM CONTROLE E O PERDÃO ANTECIPADO

Podemos imaginar que, de vez em quando, Jesus precisa se desviar dos arbustos rasteiros e das folhagens que encontra pelo campo aberto por onde caminha. Há umas pequenas flores brancas, onde as ovelhas procuram o pouco verde que existe para se alimentar nessa terra às vezes inóspita, às vezes povoada por gentes que vivem em algumas poucas casas, muitas vezes incrustadas em grutas, pois é nelas que se protegem do calor dos dias e do frio das noites, e é nelas também que os animais comem, onde ficam as manjedouras, como a que terá abrigado o menino Jesus no dia do seu nascimento. E dessas grutas e casas vem o povo que agora recebe Jesus e seus seguidores.

Nós os imaginamos com olhares desconfiados, um vizinho cutucando o braço do outro, perguntando se o pregador que chega é mais um candidato a messias como muitos que já lhes prometeram maravilhas, ou se o homem das multidões é mesmo capaz de tirá-los dessa vida inglória que é tudo o que lhes é oferecido, tão longe de Jerusalém, mas nem por isso longe de Deus.

É quando descobrimos que Jesus tem uma casa.

Foi morar na beira da praia, em Cafarnaum. E a escolha, dirão, não foi por acaso, pois faz cumprir as profecias mais uma vez. Ali, na região conhecida como Neftali, e também na vizinha Zabulão, regiões onde vivem muitos não judeus, a Galileia dos Gentios, no caminho do mar, *para lá do Jordão*, o profeta Isaías, prenunciando estes dias, contou que *o povo que jazia nas trevas viu uma grande luz.*[62]

Muito mais tarde, frades franciscanos encarregados de cuidar dos lugares históricos do cristianismo dirão que Jesus mora na casa de Pedro, a luz e a pedra compartilhando a pequena casa à beira do mar da Galileia, onde se construirá uma bela igreja octogonal, com uma parte do piso de vidro para que se vejam, embaixo, as ruínas do vilarejo histórico onde Pedro e Jesus estão agora vivendo. Mas o que ficaremos sabendo pelo Evangelho de Marcos é que os seguidores cercaram a casa, ocuparam todos os cômodos e praticamente impedem Jesus de se mover.

Trouxeram-lhe um homem tão gravemente paralisado que foi preciso conseguir quatro pessoas para carregá-lo em cima de uma espécie de leito, provavelmente um simples colchão. A multidão em alvoroço torna impossível que eles se aproximem de Jesus. E não é por outro motivo que acabam de desmontar uma parte do telhado para passar o paralítico por cima da parede e fazê-lo chegar ao interior da casa. A cena é antológica, talvez a primeira vez que se pode dizer com certeza que Jesus está se tornando o que será ainda por muitos e muitos séculos: o homem mais amado da História.

Nesse momento, o pregador atribui a si um poder que os judeus de seu tempo só atribuem a Deus.

– *Filho... seus pecados estão perdoados.*[63]

Ninguém diz nada, mas Jesus percebe o ar de reprovação dos escribas que estão por perto. Escribas, explique-se, não são meros copiadores de textos como em outras partes do mundo. Conforme muito bem definido no Eclesiástico, escribas judeus, sejam eles fariseus, essênios ou saduceus, são *aqueles que aplicam sua alma, os que meditam na lei do Altíssimo*. São doutores da lei, como aqueles com quem Jesus conversou aos doze anos, mestres de sabedoria concentrados nos estudos dos textos sagrados, conhecedores profundos das profecias e das *sutilezas das parábolas*. Porque, enfim – conforme sentencia o autor do Eclesiástico, querendo combater a invasão de conhecimento científico que vem da Grécia e que tanto seduz os jovens judeus –, *toda sabedoria é temor do Senhor, em toda sabedoria há cumprimento da lei.*[64]

Serão, portanto, esses homens que pensam deter toda a sabedoria de Deus e do mundo, ocupantes de cargos importantes na hierarquia religiosa, com poderes para julgar e condenar as atitudes do povo... serão eles, os escribas fariseus e saduceus, que perseguirão Jesus até o fim de sua vida. E é um deles que está agora gritando no meio da confusão.

– *Ele blasfema! Quem além de Deus pode perdoar pecados?*[65]

Jesus resolve enfrentar os escribas, perguntando-lhes se acham mais fácil perdoar ou fazer um paralítico andar outra vez.

O encontro com o paralítico terá importância fundamental no cristianismo, pois será com base nesse gesto que os seguidores de Jesus entenderão que se deve oferecer o perdão antes mesmo que seja preciso pedi-lo. Contribuirá imensamente para mudar os padrões de respeito ao próximo numa humanidade marcada pela luta violenta pela sobrevivência.

Sobreviver será sempre preciso, o instinto animal que nos fez dominar a floresta persistirá. No entanto, o que Jesus está ensinando é que é preciso também preocupar-se com a sobrevivência dos outros.

Mas isso não será sempre cumprido da maneira como se supõe que Jesus desejaria, pois mesmo nas escrituras sagradas haverá momentos em que pecadores serão amaldiçoados, como nos Atos dos Apóstolos, quando Pedro condenar Ananias e Safira à morte porque os dois lhe terão contado mentiras, negando-se a doar o dinheiro da venda de um terreno à comunidade formada pelos nazarenos, conforme serão conhecidos os primeiros seguidores do pregador de Nazaré. No episódio da punição ao casal mentiroso, os nazarenos agirão de um jeito muito parecido ao dos essênios, exigindo que aqueles que quiserem ser aceitos abram mão dos bens materiais para entregá-los à comunidade, pensando na recompensa que terão no Reino de Deus. Essênios desobedientes, como sabemos, são punidos com abandono e morte, exatamente como acontecerá a Safira e Ananias.

Algumas décadas mais tarde, a prática do perdão ensinada por Jesus começará a ser usada pelos padres durante as confissões, mas apenas depois que os fiéis se arrependerem de seus pecados. Muitos entenderão

RAFAEL SANZIO
A MORTE DE ANANIAS
(1515)
Victoria and Albert Museum, Reino Unido

que será preciso também revelar as vergonhas de cada cristão aos sucessores dos apóstolos para se obter a misericórdia divina. E numa certa época religiosos tomados de ganância perverterão tão profundamente os ensinamentos de Jesus que andarão por aí vendendo perdão, indulgências, como chamarão – numa falta tão grave que provocará uma rachadura trágica na Igreja de Cristo.[66]

Na casa tomada pela multidão em Cafarnaum, no entanto, Jesus não pergunta ao paralítico sobre os pecados que ele cometeu, nem se por acaso deseja o perdão, ou mesmo se está arrependido de seus erros, conforme exigiriam os essênios e os seguidores de João Batista em seus rituais de expiação dos pecados.

– *Para que vocês saibam que o filho do Homem tem o poder de perdoar pecados aqui na terra* – ele diz, e logo se vira na direção do paralítico. – *Eu digo a você: levante-se, pegue seu colchão e vá para casa!* [67]

9 | O AMOR CONTRA A LEI

Vemos agora diante de nós um pregador valente, que pensa rápido e responde ainda mais rapidamente. Que não se acovarda diante daqueles que supostamente são detentores da sabedoria do Testamento que ninguém ainda chama de Antigo, aqueles que se creem no direito de dizer o que um homem pode ou não fazer. Pois, nos primeiros livros da tradição judaica, está escrito exatamente como uma pessoa decente deve se comportar para seguir o caminho de Deus.

Jesus desafia os sábios e quebra regras, apresentando uma nova forma de seguir a lei judaica. Ou será desde agora uma nova religião?

Um dia a herança de Jesus Cristo será tão grandiosa que não se poderá mais abrigar os nazarenos e os outros judeus debaixo da mesma sinagoga, como se fossem, o que um dia foram, duas linhas discordantes de uma mesma tradição religiosa. Haverá batalhas duras, acusações graves e, como sempre na História dos homens, mesmo quando se diz estar tratando das coisas de Deus, veremos assassinatos. Muitos assassinatos.

Mas, enquanto estiver vivo e com seu pensamento ágil, Jesus continuará defendendo o amor, ainda que por vezes lance mão de palavras que cortarão como espadas, desafiando e sendo desafiado pelos inimigos quando chegar a Jerusalém, ou mesmo agora, pela beira da praia, onde o ar é fresco e o clima entre os homens, cada vez mais tenso. E nesse ambiente hostil, há também muitos assaltos e muito vandalismo, a tal ponto que, no dia em que ensinar aos discípulos a oração que o mundo conhecerá como *Pai-nosso*, Jesus lhes fará um alerta, dizendo que tudo no céu será melhor, e *mais seguro*, que aqui na terra.

– *Acumulem para vocês tesouros no céu, onde nem a traça nem a deterioração os fazem desaparecer, onde os ladrões não assaltam nem roubam!* [68]

Ao condenar a obsessão com bens materiais, como o fará também ao dizer que *aquele que guarda tesouros para si não é rico diante de Deus*, Jesus reforça o que está escrito nos Provérbios, que *no dia da ira a riqueza será inútil*, e mais uma vez anuncia que o fim dos tempos está próximo e que só aqueles que estiverem a seu lado poderão se salvar, mesmo que sejam pessoas que seus contemporâneos consideram da pior espécie: pecadores e cobradores de impostos, como os que estão à mesa com ele agora na casa de um desconhecido. Talvez seja só coincidência que seu nome seja Levi, o que o associa à tribo israelita que há muitos séculos é responsável por auxiliar os serviços no Templo, cantando e ajudando os sacerdotes durante as cerimônias.[69]

Cobradores de impostos, no entanto, são traidores. Pois mesmo sendo judeus trabalham para perpetuar o poder estrangeiro dos romanos, oprimindo e humilhando o próprio povo, que é obrigado a pagar para sobreviver. Pecadores são também a escória desses desertos, pois são judeus que não respeitam a lei religiosa, deixando de cumprir alguns dos seiscentos e treze *mitzvot*, os mandamentos e proibições escritos na Torá, onde estão determinadas obrigações como fazer a circuncisão dos recém-nascidos do sexo masculino, amar o estranho que vive perto de você *como se ele fosse um dos seus*, e comer de maneira adequada, por exemplo, jamais ingerindo carne de porco, um animal que, *apesar de ter o casco fendido, partido em duas unhas, não rumina... Não comereis da carne deles nem tocareis o seu cadáver, e vós os tereis como impuros.*[70]

Jesus não rompe com esses mandamentos, mas rompe com outros. E está sendo duramente criticado por quem conhece as minúcias da moral de seu tempo.

– *Por que estão comendo junto com cobradores de impostos e pecadores?* – questiona um escriba, acompanhado de outros fariseus.

– *Os saudáveis não precisam de médico... e sim aqueles que estão doentes.* – Pode-se imaginar Jesus respondendo, olho no olho. – *Eu não vim chamar os justos ao arrependimento, mas sim os pecadores.*[71]

Pelo que nos contarão os Evangelhos, nesse mesmo momento, Jesus reencontra os discípulos do falecido João Batista. Conviveu com eles no tempo em que foi batizado e deles se separou quando foi seguir seu próprio caminho. Agora estão em desacordo, tornaram-se de certa forma rivais, pois os dois grupos de discípulos jamais se entenderão sobre quem é o Messias, nem sobre as leis de Deus.

Os seguidores do Batista e os fariseus estão jejuando.

Supõe-se que é *Yom Kipur*, o dia da expiação dos pecados, ou a preparação para algum pedido urgente a Deus, ou talvez algum lamento por uma perda importante, pois só nesses dias os judeus jejuam. Mas os seguidores de Jesus comem sem qualquer restrição.

– *Podem os amigos do noivo jejuar na presença do noivo?* – Jesus desafia os religiosos que estão jejuando, e desafia com isso mais de um milênio de tradição. Em outras palavras, está dizendo mais uma vez que veio para fazer um novo casamento, uma Nova Aliança. E conclui.

– *Ninguém coloca o vinho novo em velhos cantis de pele... vinho novo em pele nova!*[72]

10 | AMOR AO PRÓXIMO ATÉ NO SÁBADO

Jesus continua caminhando e desafiando normas de boa conduta do povo judeu, desafiando a lei que todos à sua volta acreditam ter-lhes sido imposta por Deus, ainda que nesses tempos difíceis muita gente ande descumprindo as ordens divinas.

Enquanto caminha, seja pela praia, pela planície ou pelas plantações, Jesus claramente procura as bifurcações. Sai delas percorrendo estradas por onde ninguém jamais passou. E os discípulos seguem seus passos, abrindo picadas pelo meio da plantação.

Mas... trabalhando num sábado?

Logo no dia que deveriam guardar a Deus?

De novo, Jesus é acusado de desrespeito à lei judaica.

Estaria pecando?

Logo ele?

Mas Jesus é um pensador veloz e responde ferozmente aos fariseus que o vigiam.

– *O sábado foi feito para o homem, e não o homem para o sábado, portanto, o filho do Homem é senhor até do sábado.*[73]

A expressão que os primeiros cristãos traduzirão como *filho do Ho-*

mem vem de *bar-Enosh*, no aramaico falado por Jesus, ou *ben-Adam*, no hebraico que é também comum em seu tempo. Significa *ser humano*, mas pode ser traduzida literalmente como *filho de Enosh*, *filho de Adão* ou até mesmo *filho do Homem*, sem que em nenhum dos três casos se esteja querendo falar obrigatoriamente de um filho de Deus. E isso ficará entendido pela resposta enigmática que Jesus dará a um escriba que manifestará o desejo de segui-lo.

A tradução mais comum do texto de Mateus será feita assim, quase sem sentido mesmo.

– *As raposas têm tocas e as aves do céu, ninhos, mas o filho do Homem não tem onde reclinar a cabeça.*[74]

Não faria sentido.

Aqui, claramente, Jesus quer se comparar aos outros animais, dizendo que as raposas têm tocas, as aves do céu têm ninhos, mas *o ser humano* não tem onde reclinar a cabeça. Ou, numa interpretação livre, que pessoas que vivem vidas tão difíceis não têm onde descansar em tranquilidade.

Na interpretação de Irineu, um dos primeiros teóricos do cristianismo, ao dizer que é filho de Adão, aquele que terá sido o primeiro homem de acordo com a tradição do Gênesis, ou filho de Enosh, um personagem do Gênesis que praticamente se confunde com Adão, Jesus está reparando um erro histórico da humanidade. Em seus escritos contra as chamadas heresias, Irineu afirmará que, *quando Deus foi encarnado e feito homem*, estava retomando em sua própria existência *a longa linhagem do ser humano*, devolvendo a nós o que ficou perdido desde os tempos de Adão e Eva, ou seja, *a existência do ser humano à imagem e semelhança de Deus.*[75]

A expressão *filho do Homem* aparecerá mais de oitenta vezes nos Evangelhos, quase sempre nas palavras atribuídas a Jesus. Apareceu mais de cem vezes no Antigo Testamento e o pregador a quem chamarão de Cristo sabe disso. Ainda que judeus à espera do Messias vejam em *ben-Adam* um significado especial, a multidão que segue Jesus provavelmente entende que ele está apenas falando de si mesmo. E, antes de tudo, como um ser humano, com a humildade que quase sempre o acompanha. Até porque as profecias não falam de um Messias divino: ele será talvez eternizado no céu, mas sempre visto como um ser humano enviado pelo Criador, o rei do povo de Deus.[76]

Assim, muitos estudiosos entenderão que, ao se apresentar como *bar-Enosh*, ou *ben-Adam*, Jesus está pregando mais uma vez como um ser humano de carne e osso, e não desejando dizer o tempo todo que é o filho de Deus. Principalmente no momento em que está demonstrando que o mais importante é seguir em sua missão humanitária, ajudando uma pessoa necessitada, mesmo no dia em que supostamente não deveria fazer um milagre.

JAMES TISSOT
OS APÓSTOLOS SE ALIMENTAM DE TRIGO NO SÁBADO (1886-94)
Museu do Brooklyn, Estados Unidos

PÁGINA 77:
HANS MEMLING
JESUS NUM DOS QUADROS QUE COMPÕEM O POLÍPTICO DAS VAIDADES TERRENAS E DA SALVAÇÃO DIVINA (C. 1485)
Museu de Belas-Artes de Estrasburgo, França

Sendo assim, as palavras de Jesus talvez fossem mais bem traduzidas de outra forma.

– *O sábado foi feito para o homem, e não o homem para o sábado, portanto, o ser humano é senhor até do sábado.*

Ben-Adam continuará sendo uma expressão muito popular até mesmo dois mil anos depois, quando o hebraico for oficializado como a língua do Estado de Israel. Será usada por israelenses para se referir a qualquer pessoa nas ruas, podendo ser traduzida ao linguajar brasileiro como *sujeito*, *pessoa*, ou, ainda mais popularmente, *cara*.

Estudiosos dirão ainda que a expressão *filho do Homem* será escolhida pelos primeiros tradutores da Bíblia para reforçar a ideia de que Jesus Cristo é o filho de Deus, ou o próprio Deus encarnado. É uma daquelas controvérsias que dificilmente algum dia serão resolvidas. E mui-

tos cristãos concordarão com o pensamento do estudioso A. Higgins, quando ele diz que, mesmo que Jesus provavelmente acreditasse que era filho de Deus de maneira única e especial, *não é necessário à salvação acreditar que Jesus se chamava de filho do Homem.*[77]

Enfim, como costuma fazer aos sábados, o filho do Homem, filho de Adão, o ser humano, a pessoa, vai novamente a uma sinagoga e encontra um (outro) ser humano, com as mãos atrofiadas.

Estão todos de olho no pregador.

Será que depois de lhes dar seus ensinamentos ele vai fazer outro milagre no sábado?

Vai romper com a lei judaica mais uma vez?

Sim, e sem a menor cerimônia.

– *É permitido pela lei fazer o bem ou o mal no sábado? Salvar uma vida ou matar?* – Podemos imaginar que Jesus diz isso bem alto para que todos o escutem na sinagoga.[78]

Nem seria preciso ouvir o resto da história. Mas o Evangelho de Marcos nos conta que o pregador olhou ao redor com indignação, sofrendo ao perceber a dureza dos corações daqueles que o condenavam.

A mensagem de Jesus é de amor ao próximo, seja sábado, domingo ou segunda. E, mesmo que isso contrarie alguma lei, o homem vai sair de lá curado.

Mas é aí que a história começa a mudar.

Ou, pelo menos, será neste momento que os Evangelhos nos contarão que uma conspiração para matar Jesus está começando a ser tramada por fariseus e representantes do rei Herodes Antipas, a quem chamamos de rei apenas pela força do hábito, pois é sabido que Israel, o lugar a que os romanos começaram a chamar de Palestina, foi dividido em quatro partes, que Herodes só governa a Galileia, e que seria mais preciso chamá-lo pelo estranho título de *tetrarca.*

Apesar do clima de conspiração que surge na Galileia, será na Judeia, uma região sob intervenção direta dos romanos, longe dos domínios de Herodes, que Jesus sofrerá as consequências de tudo o que está fazendo agora, ao desafiar a lei judaica e, ao mesmo tempo, a lei de César, esse, sim, chamado ao mesmo tempo de imperador e Deus aqui na terra.

11 | DOZE HOMENS NA MULTIDÃO

Estamos agora diante de um pregador muito conhecido por tudo o que vem realizando ao longo de seu caminho, um homem que viaja acompanhado pelos discípulos e está sendo mais uma vez recebido por uma multidão. É gente que veio do outro lado do rio Jordão, e também de Jerusalém, e também de lugares tão distantes quanto Sidônia ou Síria. São possivelmente judeus que viajam querendo conhecer aquele a quem estão chamando de Messias, fazendo muita gente se lembrar de Isaías, que profetizou sobre o monte onde estaria a casa de Deus, que agora muitos entendem ser o próprio Jesus.

Sim, o monte seria também a morada do Criador, como na profecia que previu que *a ele* [monte] *afluirão todas as nações, muitos povos virão... para que Ele* [Deus] *nos instrua a respeito dos seus caminhos, e assim andemos nas suas veredas.*[79]

Mas a fama – e nos perdoem a simplicidade da palavra, pois não há outra que melhor descreva esses acontecimentos –, a fama está criando uma série de problemas. Jesus não consegue mais andar em paz pelas veredas desse grande sertão de Deus. Sofre um assédio tão insistente que se sente muito cansado, preocupado com a própria integridade.

PIETRO PERUGINO
CRISTO ENTREGA A PEDRO A CHAVE PARA O REINO DOS CÉUS (1480-82)
Capela Sistina, Vaticano

Ao se aproximar da praia, talvez tomado por um sentimento de pânico, coisa que só mais tarde os psicólogos compreenderão, o pregador pede aos discípulos que lhe consigam um barco para evitar o tumulto. Em palavras do próprio Evangelho, para não ser *esmagado* por aqueles que o amam e por aqueles que souberam de seu poder de cura e querem tocá-lo.

O plano de salvamento dá certo e Jesus está conseguindo passar pela multidão sem que lhe arranquem um pedaço da roupa ou lhe rasguem a pele.

Assim como fez Moisés para receber os mandamentos, Jesus subiu ao alto da montanha para dar sua interpretação àquela mesma lei de Deus. Moisés subiu e desceu sozinho, mas Jesus está com os discípulos, sem o menor sinal de tempestade no horizonte. E agora que todos se acomodaram sobre a terra e as pedras, vai apontar doze para serem promovidos aos importantíssimos postos de apóstolos. Relembrando as profecias, os instruirá a respeito dos caminhos que deverão seguir.

Que ninguém tenha dúvidas: o primeiro escolhido é Pedro, o pescador que até recentemente era conhecido como Simão. Será que a mu-

dança de nome é para afastá-lo de vez do fantasma de carregar o mesmo nome de Simão Mago, aquele que todos aqui nessa montanha conhecem como um curandeiro maligno? É possível que sim, pois o Mago continua andando pela terra de Deus. Mas não demorará muito para que Pedro seja imortalizado no imaginário cristão com as chaves do Reino dos Céus em sua mão, conhecido como primeiro papa da Igreja que, muitos dirão, está sendo criada pelo próprio Jesus.[80]

Em seguida, ficamos sabendo que os pescadores Tiago e João também foram elevados da categoria de discípulos à de apóstolos. São filhos de Zebedeu, mas passarão a ser chamados de filhos do Trovão, possivelmente numa referência a seus temperamentos instáveis, sujeitos a tempestades, como demonstrarão mais tarde quando tiverem abrigo negado por samaritanos e perguntarem a Jesus se devem ordenar *que desça fogo do céu para consumi-los*, e só depois da negativa do mestre desistirem de promover a carnificina.[81]

Entram na lista de escolhidos também os discípulos André, Felipe, Bartolomeu, Mateus, Tomé, outro Tiago, Tadeu, outro Simão, este de apelido zelota, muito provavelmente porque anda pregando revolta e violência contra os romanos. Por fim, Jesus escolhe Judas Iscariotes.

O único que merece um sobrenome é justamente aquele que mais tarde será eternizado como o maior traidor da História da humanidade.

Jesus determina que os doze apóstolos devem acompanhá-lo até o fim de sua vida. Dá a eles a responsabilidade de disseminar sua maneira própria de entender as relações do homem com Deus. E, pelo que nos contam, lhes concede um poder que mais tarde poderá soar estranho a muitos daqueles que se denominarem cristãos, pois a capacidade de expulsar demônios será associada ao charlatanismo de certos pregadores. Será que Jesus deu missão tão importante também às muitas mulheres que o acompanham?

12 | A MULHER AO LADO DE JESUS

Os primeiros cristãos serão quase silenciosos sobre a importância delas. Os Evangelhos ainda farão uma ressalva triste, dizendo que todas as mulheres que seguiram Jesus tinham, antes de encontrá-lo, alguma doença. Impuras? Entre elas, estará uma Susana de quem nunca mais ouviremos falar. Uma certa Joana, mulher de um funcionário público. E uma Maria que veio do vilarejo de Magdala, e que por isso é chamada Madalena. Só depois de exorcizada de seus sete demônios ela foi aceita entre os seguidores de Jesus.

Mas que demônios?

Era mesmo prostituta como dirão mais tarde?

Que mulher, afinal, larga tudo para seguir um homem em suas andanças?

Sejam quais forem os tais demônios que carregava, depois de ser exorcizada pela mão de Jesus e se livrar das manchas de seu passado, Maria Madalena se tornou sua seguidora mais importante. Não fosse um machismo persistente, seria certamente merecedora do honrado título de apóstola, como de certa forma o fará o papa Francisco, ao reconhecê-la como *apóstola dos apóstolos*.[82] Mais tarde, estudiosos (e também muitos ficcionistas) defenderão a tese de que Madalena terá sido a mulher de Jesus e terá inclusive formado uma família com ele. E haverá manuscritos para reforçar a hipótese.

Além disso, quase dois mil anos depois, arqueólogos dirão ter encontrado as pedras dos túmulos de um certo Jesus, e de uma certa Maria, ao lado do que seriam seus filhos, numa caverna em Jerusalém. O achado arqueológico sobre a suposta família de Jesus será apresentado num grande evento público na biblioteca de Nova York como a prova definitiva do relacionamento amoroso entre os dois.[83]

Longe de qualquer sensacionalismo, no entanto, Maria Madalena aparecerá diversas vezes entre os apóstolos nos manuscritos da biblioteca de Nag Hammadi, um tesouro arqueológico que ficará guardado por muitos séculos até ser encontrado por um camponês egípcio, em 1945, aos pés de uma montanha, às margens do rio Nilo, dentro de um jarro.

Um dos manuscritos mais intrigantes, conhecido como Evangelho de Felipe, afirmará que havia três Marias na vida de Jesus: *sua irmã, sua mãe e sua companheira*. E, logo em seguida, fará uma afirmação que poderá chocar os cristãos.

A companheira do Salvador é Maria de Magdala... O Salvador a amava mais do que a todos os discípulos, e a beijava frequentemente na boca... Os outros discípulos... [trecho ilegível no pergaminho] *perguntaram a ele, "Por que você a ama mais do que a todos nós?".*[84]

Sim, o documento sugere que Jesus beija Maria Madalena na boca, e com frequência. Mas há também entre as descobertas de Nag Hammadi outros manuscritos sugerindo o tipo de relacionamento que há entre Jesus e Maria Madalena.

No documento chamado posteriormente de *O diálogo do Salvador*, Jesus conversa com os discípulos pouco antes de sua morte na cruz, e se refere a Madalena sempre como uma discípula, a quem chama de *irmã*.

– *Chamei vocês pois estou prestes a partir* – Jesus terá dito.[85]

Na cena descrita, Maria Madalena está ao lado de outros discípulos, entre eles Mateus e um Judas que provavelmente não é o traidor, aprendendo com Jesus sobre a salvação que está por vir.[86] De maneira diferente da que aparecerá nos Evangelhos do Novo Testamento, discípulos

GUIDO RENI
MADALENA
PENITENTE (C. 1635)
Walters Art Museum,
Estados Unidos

fazem perguntas complexas ao salvador do mundo. E ele se refere a Madalena como *a mulher que entendeu tudo*. De fato, a pergunta que ela faz a Jesus é extremamente sensível.

– *Mestre, enquanto eu estiver "vestindo" um corpo, de onde vêm minhas lágrimas, de onde vem minha risada?*

– *O corpo chora por causa de seus trabalhos, e por causa do que ainda está para ser feito* – Jesus lhe responde, conforme o texto do manuscrito encontrado no Egito. – *A mente sorri por causa dos frutos do espírito. Quem nunca tiver estado na escuridão não será capaz de enxergar a luz... Você acenderá luzes, e viverá para sempre... então todos os poderes acima e abaixo vão lhe tratar duramente... Naquele lugar, haverá choro e ranger de dentes até o fim de tudo.*[87]

Assim como se refere a Madalena como *irmã*, Jesus chama os apóstolos de *irmãos*. É verdade: ele disse que seus irmãos são aqueles que ouvem a palavra de Deus.[88] E, conforme o manuscrito, a *irmã* Madalena tem muitas perguntas: se nasceu para ganhar ou perder... se a semente da mostarda vem do céu ou da terra...

– *Quero entender as coisas exatamente como elas são* – Madalena resume sua ansiedade.

E Jesus lhe ensina.

– *Qualquer pessoa que procurar a vida, essa é sua riqueza. Porque o resto das coisas do mundo é falsidade, e todo seu ouro e prata são enganadores.*

O diálogo, que se supõe escrito poucos anos depois da morte de Jesus, portanto na mesma época dos Evangelhos, seguirá com diversas perguntas dos outros apóstolos. E Maria Madalena também quer expressar ao mestre suas impressões sobre a vida.

– *Eu vejo o mal que afeta as pessoas logo no começo... quando um mora no outro.*

– *Quando você os vê, você está entendendo muita coisa... Mas quando você vê aquele que existe eternamente, essa é a grande visão* – Jesus diz a Madalena, afirmando que o lugar onde não existir a verdade não terá também a presença de Deus.

– *O lugar onde "Eu Sou" não está* – Jesus diz aos apóstolos, em outras palavras dizendo que sua presença é também a presença de Deus.

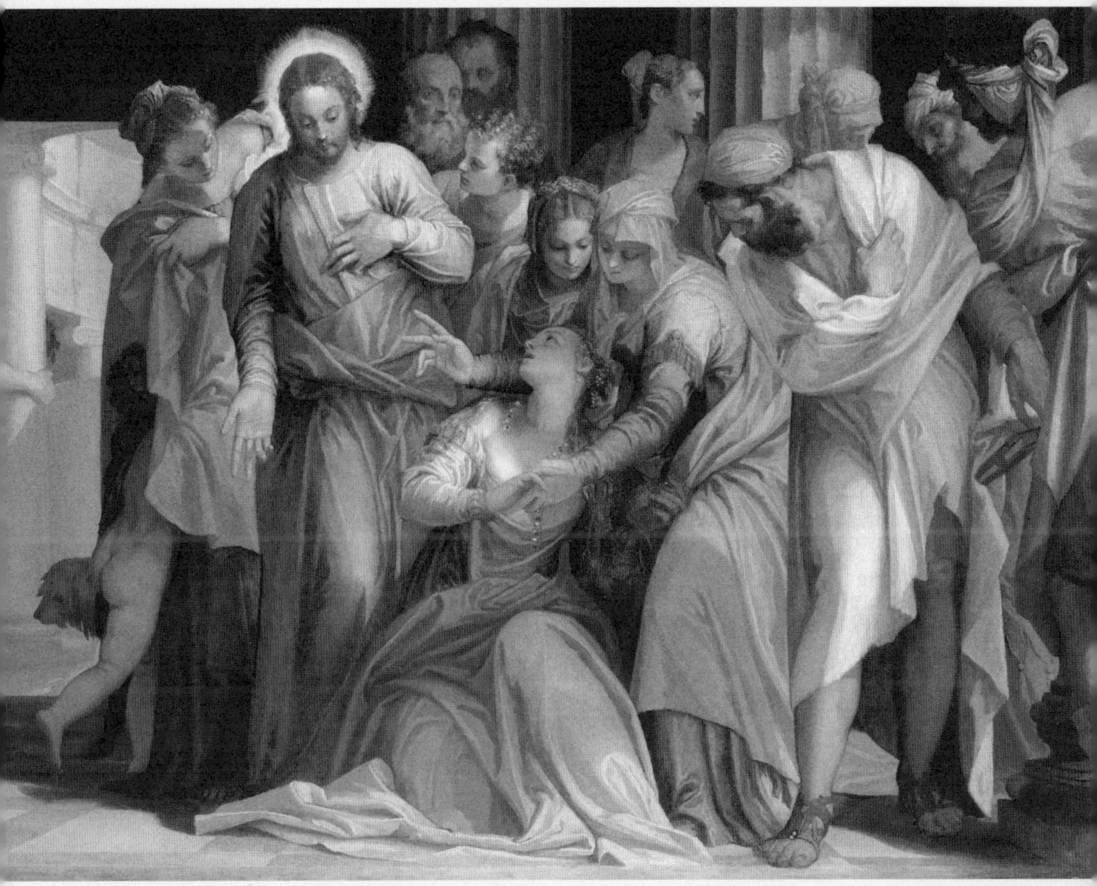

PAOLO VERONESE
A CONVERSÃO
DE MARIA MADALENA
(C. 1548)
National Gallery,
Reino Unido

Se Madalena será muito importante no cristianismo copta do Egito, conforme nos mostrarão os manuscritos de Nag Hammadi, nas religiões cristãs chamadas ortodoxas, que basearão suas crenças nos Evangelhos do Novo Testamento, seu papel será infinitamente menor. E jamais se compreenderá por completo o valor daquela que será vista ora como companheira, ora como discípula, e em outros *oras* como prostituta arrependida. Mas ninguém lhe poderá negar o papel fundamental que terá quando Jesus for crucificado, ao terceiro dia, diante do túmulo, sendo a primeira testemunha a ver o Cristo ressuscitado, antes mesmo dos homens.

Quando Madalena for contar aos apóstolos sobre seu encontro sozinha com o Cristo ressuscitado, os Evangelhos registrarão a descrença dos apóstolos. *Eles ouvindo que ele estava vivo e que fora visto por ela, não acreditaram.*[89]

Sem necessariamente discordar dos Evangelhos, os manuscritos de Nag Hammadi acrescentarão detalhes. Dirão que André terá desconfiado, e Pedro, se desmanchado em ciúmes.

– *Então ele falou com uma mulher em particular sem que nós soubéssemos? Ele a escolheu acima de nós?* – Teriam sido as palavras do apóstolo, levando Madalena a chorar e um certo Levi a condená-lo.

– *É por isso que ele a amava mais do que a nós.*[90]

Se os diálogos de Nag Hammadi dificilmente um dia serão reconhecidos como verdadeiros pela ortodoxia do Vaticano e das Igrejas protestantes ou evangélicas, ninguém discutirá que Madalena estará presente no momento exato da ressurreição. E certamente podemos vê-la agora no alto da montanha, talvez preocupada em trazer água ou comida a Jesus, quando ele se prepara para revelar ao mundo sua própria lei e os fundamentos do que um dia será a religião dominante em grande parte do mundo.

13 | A LEI DE JESUS

Jesus de Nazaré se preparou por muito tempo e agora vai apresentar ao mundo o código de conduta que ensinará aos fiéis os caminhos que deverão seguir, ou evitar, para garantir suas entradas no que ele apresenta como sendo o Reino de Deus. Um lugar que pode estar ao mesmo tempo aqui na terra como no céu, mas que seguramente será bem diferente do mundo onde vivem dominados por poderes humanos, e virá com o fim dos tempos, quando chegar a hora do julgamento. Àqueles que não forem pessoalmente aceitos por Jesus não lhes restará outra saída se não enfrentar o *sheol*, a mansão dos mortos temida pelo povo desde os tempos de Abraão, o inferno, como se dirá popularmente depois da *Comédia* de Dante.

Jesus reafirmará muitas vezes aquilo que um dia esteve, em palavras parecidas, no manual de disciplina dos religiosos essênios. E, de certa forma, nas pregações de seu precursor, João Batista. Aprofundará muitas das leis judaicas estabelecidas séculos antes desse dia em que está no alto de uma montanha da Galileia falando para os apóstolos e para a multidão de seguidores e curiosos.

O discurso que ficará imortalizado como Sermão da Montanha começa em tom quase poético, e certamente profético, explicando o que é preciso fazer aqui na terra para ser bem recebido nesse lugar prometido onde Jesus reinará ao lado daquele que apresenta como seu Pai.

– *Abençoados são os humildes no espírito, porque deles é o Reino dos Céus!*[91]

Podemos imaginar o pregador enérgico, no alto da montanha, próximo aos doze homens que o assistem sentados, uns com as pernas cruzadas sobre as sandálias de couro, outros com as mãos sobre os joelhos, um deles com a mão sustentando a cabeça, como o *Pensador* que ainda não foi esculpido. Ali por perto, sem dúvida, Joana, Susana, Madalena e algumas outras discípulas estão profundamente atentas aos ensinamentos do mestre.

Um pouco mais abaixo na montanha, mas ainda bem perto de Jesus, podemos ver dezenas, talvez centenas de rostos que ficarão eternamente desconhecidos. São homens e mulheres que vieram exclusivamente para ouvi-lo, e agora acompanham seus gestos e ouvem suas palavras em silêncio.

– *Abençoados os puros no coração, porque verão a Deus! Abençoados os que promovem a paz, porque serão chamados filhos de Deus!* [92]

Ao declamar as *bem-aventuranças*, assim chamadas porque abençoados também se traduzirá como bem-aventurados, ou felizes, muito provavelmente sem perceber, Jesus está moldando grande parte do que a humanidade considerará correto e justo ao longo dos próximos milênios. Está mostrando que mais importante do que obter qualquer benefício material nesta vida terrena é semear a paz, a justiça e o amor.

As três palavras serão tão repetidas que um dia soarão triviais. Mas aqui, no alto desta montanha, diante dessa multidão, têm um caráter revolucionário. Jesus está criticando a maneira como os homens de seu tempo encaram suas vidas, com seus egoísmos, suas futilidades, falsidades e ambições desmedidas. E agora, dirigindo-se especificamente aos apóstolos, diz que *eles* são os sucessores dos profetas judeus.

– *Vocês são o sal da terra. Ora... se o sal perder o sabor, com o que salgaremos?* [93]

Depois de entregar aos apóstolos também a missão de ser *a luz do mundo*, Jesus começa a reinterpretar a lei judaica, aquela que ele veio, ao mesmo tempo, reafirmando e desafiando em suas andanças pelas praias e sinagogas da Galileia, desafiando os sábios e os sábados.

Ainda que tenha feito milagres no dia que deveria guardar a Deus, ainda que tenha questionado tradições pétreas do judaísmo, Jesus nega que esteja ali para acabar com a lei.

– *Não pensem que eu vim revogar a Lei ou os Profetas... Aquele que violar só um desses menores mandamentos e ensinar os homens a fazerem o mesmo será chamado "o menor" no Reino dos Céus.*[94]

Logo em seguida, revela o que entende como sendo a verdadeira interpretação das ordens divinas, dando a elas uma forma nova, que ele apresenta como definitiva. Muito mais do que apenas seguir os mandamentos, como aquele que diz *não matarás*, Jesus quer ver o amor ao próximo nas ações simples do cotidiano.

– *Aquele que insultar seu irmão ou irmã terá que responder no Sinédrio... E se você disser "seu idiota", estará sujeito à Geena de fogo.*[95]

Ao se referir à Geena, Jesus fala de um lugar ao sul de Jerusalém que ficou associado ao sacrifício de crianças em rituais macabros. Mais tarde, a frase será interpretada como se ele estivesse falando do fogo do inferno. Ou, mais apropriadamente ainda, o fogo do purgatório, onde alguns dos primeiros teóricos cristãos entenderão que as almas pecadoras serão julgadas antes de obter acesso ao Reino de Deus prometido por Jesus.

Ao prever as punições mais terríveis de que se tem notícia no mundo religioso, sem citar uma única punição romana, pois aos romanos não lhes cabe julgar os crimes morais, Jesus está dizendo que a falta de amor ao próximo é tão deplorável que, se tal pecado não levar uma alma ao inferno, a levará, pelo menos, ao maior de todos os tribunais religiosos: o Sinédrio, que um dia o julgará em Jerusalém.

Está imaginando provavelmente que, quando o dia do Julgamento Final chegar, os sacerdotes corruptos que mandam no Templo, aqueles mesmos que irão condená-lo à morte, já não serão mais os juízes. Jesus está prevendo possivelmente que os doze homens que estão à sua frente e os discípulos que deles se ramificarem tomarão conta da lei e da justiça. De certa forma, antecipa o que em breve acontecerá, quando esses homens escolhidos fizerem surgir uma nova assembleia de sábios que receberá o nome grego de *ecclesia*. A Igreja.

E a urgência de se criar um novo modelo religioso, e também uma ética muito mais rigorosa, fica ainda mais clara no que ele diz em seguida.

– *A menos que seu senso de justiça supere o dos escribas e dos fariseus, você jamais irá entrar no Reino dos Céus!* [96]

Jesus está – muitos dirão, conscientemente – prevendo o papel que uma Igreja única, inicialmente representada pelos muitos patriarcados que surgirão pelo mundo, assumirá como guardiã da ética e da moralidade num futuro não muito distante desse dia na Galileia.

Mas o discurso ainda vai longe.

E aquele que será o homem mais amado da História está pregando, acima de tudo, o amor. Dizendo que antes de se fazer qualquer oferta a Deus é preciso se reconciliar com as pessoas que estão por perto, num gesto que será repetido simbolicamente por padres ao pedirem que os fiéis cumprimentem aqueles que estão por perto durante a missa.

Jesus lembra aos apóstolos que a lei de Moisés determina que não se deve cometer adultério. Mas ele, outra vez, quer que os seres humanos sejam corretos, antes de qualquer coisa, em seus pensamentos e suas intenções.

– *Qualquer um que olhar para uma mulher com cobiça já terá cometido adultério em seu coração!* [97]

Em seguida, Jesus leva o tema tão a fundo que, mais tarde, suas palavras acabarão criando problemas para uma parte dos cristãos, no dia em que essa moral soar ultrapassada e o divórcio não for visto como algo tão grave.

– *Qualquer um que se divorciar de sua mulher, a menos que seja por motivo de traição, a levará a cometer adultério... e quem se casar com uma mulher divorciada estará cometendo adultério.* [98]

Adultério, todos nesta montanha sabem, é um dos maiores crimes que um homem ou uma mulher podem cometer. E ao que tudo indica foi um discurso muito parecido que levou João Batista à prisão. Mas Jesus não está acusando rei nenhum, pelo contrário, o reino é de Deus. Ele reclama de algo que é bem sabido, pois muitos estão se divorciando de suas mulheres sem um bom motivo, aproveitando-se da lei que diz que o homem não precisa provar que foi traído, que basta acusar a mulher de estar se deitando com outro para ter seu divórcio aceito pelo rabino.

E Jesus está reafirmando o que os judeus de seu tempo já praticam: o divórcio em caso de traição é aceito. Mas está preocupado com as acusações falsas, pois as mulheres adúlteras que não são apedrejadas até a morte acabam correndo outros riscos, empobrecidas, às vezes tornando-se miseráveis, sem esperança de um novo casamento. Enfim, Jesus se mostra bastante preocupado com os divórcios de conveniência.

– *Faça com que sua palavra seja sim* [para o] *sim, e não* [para o] *não... qualquer coisa além disso vem do Maligno.*[99]

CARL HEINRICH BLOCH
O SERMÃO NA MONTANHA (1877)
Museu de História Natural, Dinamarca

Talvez venha do Maligno, ou de um sacerdote de Jerusalém, a cidade onde Jesus, por enquanto, nem pensa em pisar. E, mais uma vez, o Sermão da Montanha levará o estudioso a perceber que Jesus pensa parecido com os essênios. As próximas determinações que ele dá aos apóstolos e à multidão têm uma relação muito próxima com o manual de disciplina da comunidade do mar Morto.

Jesus condena qualquer forma de vingança.

– *Ouviram o que foi dito: "olho por olho e dente por dente"... Eu, porém, digo a vocês: não resistam ao homem mau, antes, àquele que te fere na face direita oferece-lhe também a esquerda.*[100]

Quando ensina os seguidores que devem amar até seus inimigos, Jesus está provavelmente fazendo referência aos essênios, mas dessa vez para condená-los, pois o manual de disciplina essênio ensina que aqueles que não são da comunidade são *filhos da escuridão* e merecem ser odiados.[101]

Jesus está ensinando o contrário.

– *Amem os seus inimigos! E rezem pelos que os perseguem!* [102]

O amor está soprando com os ventos.

Espalhando-se pela montanha.

E entrando nos corações da multidão.

Jesus quer que seus seguidores amem acima de tudo.

E lhes ensina que não há recompensa para quem amar apenas aqueles que o amam.

– *Portanto, seja perfeito... assim como o seu Pai celeste é santo!*

E a perfeição passará por uma qualidade humana que continuará rara mesmo depois de ser ensinada por Jesus, mesmo depois que, alguns séculos mais tarde, meio mundo se tornar cristão: não se deve praticar a bondade na frente dos outros, pois ao fazê-lo se estará apenas querendo os benefícios do gesto supostamente nobre. Perfeição, entendam, é fazer a bondade em silêncio.

– *Então, quando você for dar esmolas, não faça soar as trombetas diante de você, como o fazem os hipócritas nas sinagogas e nas ruas!* – Jesus diz, desejando que o amor sirva ao próximo, e não à vaidade.

14 | LIVRE-NOS DO DIABO!

Será que, diante da carga emocional gerada pelo discurso de Jesus, os apóstolos conseguiram piscar os olhos alguma vez? Estarão agora respirando fundo ao perceberem o tamanho do desafio que lhes está sendo colocado? Está claro que estão presenciando um momento histórico, mas eles não têm como prever a dimensão que tudo isso vai ganhar. Será que estão tomando notas para depois contá-las a seus discípulos, quando os tiverem, ou um dia transformá-las em livros para anunciar o que chamarão de *Evangelium*, a boa notícia?

Pela quantidade de detalhes que estarão nos Evangelhos, pelo menos alguns dos apóstolos estão registrando as palavras do mestre. Se não estiverem pensando em escrever num pergaminho, com certeza estão gravando muita coisa em suas mentes, agora cheias também de questionamentos.

E as próximas palavras de Jesus serão ainda mais impactantes, pois um dia estarão, letra por letra, nos corações e nas bocas de milhões e milhões de pessoas, no que provavelmente será a oração mais repetida da História da humanidade.

– *Quando rezarem, não construam frases vazias como fazem os pa-*

gãos, pois eles pensam que serão ouvidos por causa de suas muitas palavras... Não sejam como eles, pois seu Pai sabe o que vocês querem antes mesmo que vocês o peçam.[103]

JAMES TISSOT
O PAI-NOSSO (1886-94)
Museu do Brooklyn, Estados Unidos

A crítica à reza feita sem reflexão é dura e futuramente será objeto de muito estudo e também divergências entre os seguidores daquele a quem todos chamarão de Jesus Cristo. Tanto que, quando chegar o tempo do grande cisma, no século XVI, os reformistas liderados pelo alemão Martinho Lutero dirão aos católicos que eles rezam em orações vazias, repetindo dezenas de *Pais-nossos* ou *Ave-Marias* com seus rosários nas mãos, sem pensar no que estão dizendo a Deus, sem se lembrar que rezar palavras amontoadas é justamente aquilo que o pregador que todos amam está condenando no Sermão da Montanha.

Ao falar em *pagãos* ou em *outras nações*, Jesus está falando daqueles que, ao contrário da multidão que o escuta, não rezam para seu mesmo e único Deus. Mas, sem que ele imagine, muito em breve também os outros povos estarão usando exatamente as mesmas palavras que o pregador judeu vai ensinar agora e, mesmo que o possam estar desobedecendo, como dirá Lutero, as usarão por tão repetidas vezes que lhes sairão das bocas em qualquer situação, sempre que lhes parecer necessário falar com Deus.

– *Rezem assim!* – Jesus diz aos apóstolos, começando a declamar o texto que será conhecido em cada parte do mundo por uma tradução diferente, com palavras modificadas e adaptadas às realidades de cada momento, com tradições arcaicas tornando sua compreensão mais difícil, ainda que os cristãos as conheçam melhor que aos próprios umbigos.[104]

Pai nosso que estais no céu,
Santificado seja o Vosso nome.
Venha a nós o Vosso reino.
Seja feita a Vossa vontade, assim na terra como no céu.
O pão nosso de cada dia, nos dai hoje.
Perdoai as nossas ofensas,
Assim como perdoamos a quem nos tem ofendido.

E não nos deixei cair em tentação.
Livrai-nos do mal! [105]

Voltando aos manuscritos antigos, traduzindo essa parte do Sermão da Montanha de maneira livre, adaptando as palavras de Jesus ao falar moderno, a oração ficaria um pouco diferente, mais próxima de seu sentido original.

Nosso Pai que está no céu, que Seu nome seja santificado.
Que comece o Seu reino, e seja feita a Sua vontade,
Tanto na terra como no céu.
Não deixe faltar nosso pão de todos os dias,

E perdoe nossas dívidas,
Assim como perdoaremos a quem nos deve.
Não nos leve ao dia do julgamento,
Nos livre do mal! [106]

FERDINAND PAUWELS
LUTERO PUBLICANDO AS 95 TESES (1872)
Wartburg-Stiftung, Alemanha

Depois de uma leitura sem as dificuldades impostas pela tradução em linguagem antiga, percebe-se claramente que o *Pai-nosso*, ou o *Nosso Pai*, como pareceria mais natural, é um pedido para que o Reino de Deus comece logo para acabar com o tempo difícil em que se está vivendo com o reino dos romanos e a cumplicidade dos sacerdotes corruptos que levam vida de reis. É também um pedido para que venha logo uma era de bonança em que não faltará comida, quando todos serão humildes, perdoarão os

LITURGIA E SACRAMENTOS DA IGREJA LUTERANA
Igreja de São Nicolau, Alemanha

erros alheios amando o próximo como a si mesmos e, importantíssimo, acreditando que, sendo fiéis a Deus, seus espíritos serão absolvidos no dia do Julgamento Final.

Mas para que se possa evitar o fogo e ir direto para o céu, pelo que Jesus está dizendo, é preciso não ser hipócrita, não acumular riqueza nenhuma e acreditar que nada faltará àqueles que o seguirem.

– *Olhem os pássaros no ar... eles não plantam nem colhem nem guardam comida em celeiros... e ainda assim Nosso Pai celeste os alimenta. Vocês não valem mais do que os pássaros?* [107]

Enquanto ouvem o Sermão, os apóstolos, profundamente atentos, estão decerto pensando que valem muito mais do que os pobres passarinhos, e muito mais que os pombos, oferecidos a Deus em sacrifício, e os corvos, bichos terríveis que bicam os olhos da gente morta. Mas Jesus não deixará seus seguidores em paz. E ele agora parece furioso.

Questiona a vaidade dos que se preocupam em vestir roupas luxuosas, pedindo para olharem como crescem os lírios do campo. Flores, afinal, *não trabalham nem costuram*. E Jesus lembra que muitas vezes surgirão falsos profetas *em roupas de ovelhas, mas por dentro serão lobos ferozes*. Estranho que fale de roupas de pele justamente a um público que sabe que era assim que se vestia seu precursor, João Batista. [108]

Jesus condena aqueles que julgam, pois serão julgados.

– *Faça aos outros o que você gostaria que fizessem com você!* [109]

Já tem algum tempo que o pregador fala no alto da montanha sem ser interrompido. Pedro e os apóstolos, Madalena, Joana, e talvez Susana também, ao lado das outras mulheres aceitas no grupo, imaginamos que todos o acompanham muito de perto. E agora Jesus começa a apresentar suas conclusões. Diz que não basta segui-lo para entrar no Reino dos Céus, que é preciso fazer aquilo que Deus espera de seus filhos, e que aqueles que não forem fiéis aos seus ensinamentos poderão ser expulsos nos portões do reino. Mais que isso. Será ele mesmo quem os expulsará.

– *Direi a eles: nunca os conheci... afastem-se de mim, pecadores!*

Depois de apresentar sua lei, ou seu manual de disciplina – sua moral cristã, como preferirão alguns –, Jesus termina o Sermão da Montanha dizendo que aqueles que puserem seus ensinamentos em prática serão recompensados, como acontece com pessoas inteligentes que constroem suas casas sobre pedras. E que aqueles que continuarem pecando serão como tolos que constroem suas casas na areia.

– *A chuva caiu, vieram as enxurradas, os ventos sopraram e bateram naquela casa, e ela caiu... e foi uma queda terrível!* [110]

PAOLO VERONESE
JESUS E O CENTURIÃO
(C. 1571)
Museu do Prado, Espanha

TERCEIRA PARTE:
MESSIAS E FEITICEIROS

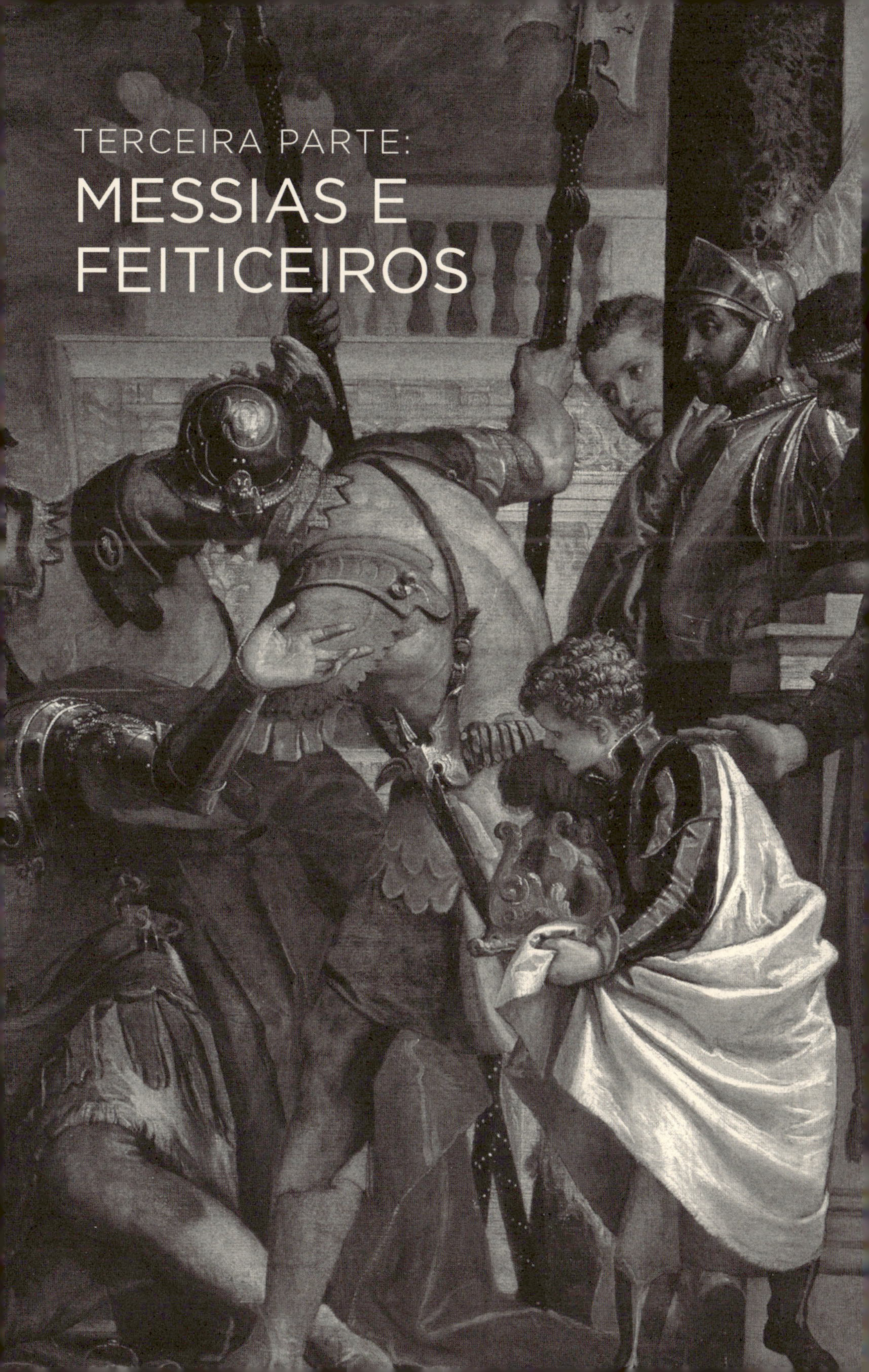

FRANCISCO DE GOYA
O SABÁ DAS BRUXAS
(1797-98)
Museu Lázaro Galdiano,
Espanha

15 | OS ESCRIBAS E SEUS BELZEBUS

Vemos Jesus cansado em corpo e espírito, precisando de água para molhar a garganta, talvez com a voz rouca depois de seu grande discurso, dessa vez sem conseguir evitar que a multidão o deixe sufocado enquanto caminha, pois ainda não inventaram embarcação que ajude um ser humano a descer da montanha.

Sempre aparece alguém querendo tocá-lo, querendo o bom contágio que pode vir de seu corpo santo. Pode ser um leproso, ajoelhado a seus pés, pedindo cura, ou mesmo, já no retorno a Cafarnaum, um centurião romano, soldado que normalmente tentaria lhe dar ordens, mas que agora está quase implorando, e conseguindo, que Jesus promova a cura de um servente paralítico sem sequer encontrá-lo.

De volta a sua casa, e de volta também ao que nos contará o Evangelho de Marcos, ele está de novo cercado pela multidão. Há soldados por toda a Galileia, há conspirações sendo tramadas contra ele, e Jesus começa a falar em códigos que um romano talvez não entenda, transformando sua filosofia numa forma de literatura falada, as parábolas, histórias que tratam de outras realidades para se referir ao que neste momento está acontecendo aos judeus, subjugados pela espada de César e pelo poder corrupto dos sacerdotes que mandam em Jerusalém.

É novamente da cidade santa, onde Jesus esteve pela última vez acompanhado do diabo... é de lá que chegam os escribas, acusando o pregador de estar possuído pelo espírito maligno do Belzebu.

– *É por meio do chefe dos demônios que ele expulsa os demônios* – dizem os escribas que o perseguem como se eles próprios fossem diabos querendo encarnar, levantando contra Jesus a mesma acusação de magia que um dia recairá sobre Simão, a quem os cristãos para sempre chamarão de mago charlatão.[111]

ALEXANDRE BIDA
CURANDO O SERVENTE
DE UM CENTURIÃO
Eggleston, Edward. Christ in Art. *Nova York: Fords, Howard & Hulbert, 1874.*

– *Como pode Satanás expulsar Satanás?* – Jesus pergunta, expondo a incoerência da acusação, ameaçando os escribas ao dizer que jamais serão perdoados por blasfemar o santo Espírito de Deus que o acompanha enquanto faz exorcismos.

Mais tarde, quando se discutir a natureza de Jesus – se terá sido sempre humana e sempre divina, ou se em algum momento o humano terá se tornado divino –, a ortodoxia cristã entenderá de uma vez por todas que Deus *foi unido à carne* humana no útero de Maria, e que, portanto, o Pai, o Filho e o Espírito Santo fazem parte de uma mesma e santíssima Trindade, tendo sido indivisíveis desde que Jesus era apenas um par de células.[112]

Depois da breve discussão com os escribas, pela primeira vez desde que Jesus começou suas andanças pela Galileia, ouvimos falar de sua mãe, e de seus irmãos, na versão grega do Evangelho, *adelfos*. A referência aos irmãos custará enorme trabalho aos primeiros cristãos, pois precisarão explicar como terá sido possível que, sendo filho único de uma virgem que engravidou de Deus, possam ter dito que Jesus tinha irmãos, concluindo que não o eram de sangue, porque sua mãe terá permanecido virgem mesmo depois do parto e que não poderão ser irmãos por parte de pai, porque José não terá sido nada além de marido e protetor de Maria.

O pai, dirão, é Deus.

Assim ficará decidido quando os bispos se reunirem para discutir o que é ou não verdadeiro sobre o homem mais amado da História. Seus parentes, Jesus dirá, serão aqueles que comungarem da mesma fé.[113]

REMBRANDT
TEMPESTADE NO MAR
DA GALILEIA (1633)
Paradeiro desconhecido

16 | JESUS ENFRENTA UMA LEGIÃO DE DIABOS

Jesus vai fazer das águas um altar. Está dentro de um barco, e os seguidores o escutam de pé, ou sentados, na orla do mar da Galileia. Expressando seus pensamentos por meio de parábolas, o pregador não diz mais tão literalmente o que as pessoas devem ou não fazer. Espera que aconteça em suas mentes o que mais tarde a psicologia chamará de *Gestalt*, a percepção que só se dá pela forma completa. Conta uma pequena história, querendo que a compreensão aconteça de um instante para outro, como um estalo em suas mentes.

É uma forma de comunicação parecida com a das fábulas, mas que tem como personagem principal o ser humano, e não animais, como na literatura do grego Esopo, seis séculos antes, e de outros gregos que o seguiram. Jesus usa exemplos do cotidiano, falando de coisas simples, querendo que os seguidores compreendam algo maior, a *moral* da parábola. Ao falar da ovelha perdida ou do administrador infiel, pretende que as pessoas possam repensar suas atitudes.

A parábola que ele conta agora é sobre um semeador que deixou suas sementes pelo caminho, em cima das pedras, por entre os espinhos, e também em terra boa, o único lugar onde nasceram frutos. O jeito incomum de pregar religião e filosofar deixa todos com interrogações nos olhares, e obrigará Jesus, mais tarde, a explicar aos apóstolos que *o semeador semeia a Palavra* e que *terra boa* são aqueles que sabem ouvi-la.

Depois da parábola, na travessia do mar da Galileia, vem uma tempestade, e as ondas enchem o barco com água, e Jesus continua dormindo. Até que discípulos apavorados resolvem acordá-lo pedindo ajuda.

– *Silêncio... quieto!* – Jesus terá dito ao vento, para logo vê-lo se acalmar, trazendo a bonança e um questionamento sobre a fé daqueles que o seguem em diversos barcos. – *Por que vocês têm medo? Ainda não têm fé?* [114]

Mais tarde, numa visita a Gerasa, um vilarejo habitado por não judeus, aparece diante de Jesus um homem assustador, que vive entre os túmulos no cemitério, que se machuca com pedras.

Psicótico?

Delirante?

Endiabrado?

Mais uma vez, o pregador quer saber o nome do demônio que o habita, pois assim são os exorcismos: só sabendo seu nome será possível controlá-lo.

– *Meu nome é Legião, porque somos muitos!* – O homem responde como se emitisse várias vozes ao mesmo tempo, informando que os diabos que o carregam adotaram a mesma denominação que os romanos usam para suas tropas, as *legiões* que tanto atordoam os judeus.

Ao derrotar os demônios, Jesus está derrotando soldados? Haverá aqui uma metáfora apocalíptica? Uma profecia em forma de exorcismo, ou um exorcismo profético, confirmando que o Messias acabará com o domínio de Roma sobre Israel para estabelecer de uma vez por todas o Reino dos Céus?

O que nos contarão é que os diabos reconhecem o poder de Jesus e o chamam de *filho do Altíssimo,* em parte repetindo as palavras do anjo Gabriel a Maria, pedindo para não serem expulsos da terra que habitam.

– *Manda-nos aos porcos, para que entremos neles!*

O pedido é estranhíssimo.

E, estranhamente, Jesus o acata.

Ele manda a legião de diabos para dentro dos porcos, animais impu-

ros para qualquer judeu. E os porcos endemoniados morrem afogados no mar.

JAMES TISSOT
JESUS DORME EM MEIO À TEMPESTADE (1886-94)
Museu do Brooklyn, Estados Unidos

Mas que mar?

Nos desertos ao redor de Gerasa não existe nem mesmo um laguinho.

A história que será contada pelos Evangelhos tem incoerências. Talvez venha a ser a união de dois momentos diferentes. Mas, como se sabe, os homens que escreverão a Bíblia cristã não terão sido testemunhas das histórias que contarão.

O autor do Evangelho de Marcos, provavelmente, terá ouvido do apóstolo Pedro quase tudo o que contará. Escreverá conforme sua memória lhe permitir, sem saber qual acontecimento terá vindo antes ou depois.

Não haverá informações precisas sobre a biografia do homem que escreverá o Evangelho de Mateus, mas dificilmente ele terá sido um discípulo direto de Jesus. Mateus escreverá em grego e mais de cinquenta anos depois da crucificação. Ficará claro que ele e o autor de Lucas usarão como bases principais para seus textos o Evangelho de Marcos e também o texto que surgirá de uma certa tradição oral que estudiosos chamarão apenas de Q, do alemão *Quelle*, a fonte.

Dirão que Lucas foi um médico que terá acompanhado o apóstolo Paulo em suas andanças, mas não haverá nenhuma certeza, até porque a maneira como ele retratará Paulo será bastante diferente do que estará nas cartas escritas pelo próprio apóstolo. E, mais do que isso, o autor do Evangelho jamais dirá que seu nome é Lucas. E assim, qualquer tentativa de se encontrar uma resposta definitiva para tantas interrogações se mostrará inocente, equivocada ou desonesta.

Por fim, o autor do Evangelho de João afirmará ter testemunhado tudo, e dirão ter sido ele o discípulo preferido de Jesus. Mas não chegará a escrever uma única vez que se chama João, como mais tarde ficará sentenciado pela tradição. Estudiosos o verão como autor anônimo, que provavelmente jamais terá ficado diante de Jesus e que provavelmente jamais terá se chamado João. Seu Evangelho será escrito depois dos outros três, aproximadamente sessenta anos após a crucificação.

Portanto, escrever um texto religioso atribuindo a autoria a uma personalidade conhecida dos leitores poderá ser apenas uma questão de estilo literário do primeiro século dessa era que se inicia com Jesus. Sendo assim, não seria mais acertado pensar que os autores dos Evangelhos serão, essencialmente – e unicamente – escritores cristãos?

Muito mais do que isso, não se poderá afirmar.

E, como tudo indica que nenhum dos evangelistas conheceu Jesus, não podemos esperar que seus escritos sejam precisos. Alguns fatos ficarão embaralhados no tempo e no espaço, como até mesmo estudiosos cristãos concordarão ao perceber, por exemplo, que os porcos de Gerasa não poderiam ter se afogado nas águas do mar da Galileia, pois mais de cinquenta quilômetros os separam.

No fim da história, o homem que vivia no cemitério ficou livre de sua legião de demônios e, mais uma vez, obedeceu às ordens de Jesus. Foi percorrer cidades, indo anunciar a outros povos a cura que recebeu do *Senhor na sua misericórdia.*[115]

17 | O SANGUE DAS MULHERES

Jesus está de volta à Galileia, no meio de uma multidão de seguidores. E sente suas energias sugadas quando uma mulher vem tocar seu manto.

– *Quem me tocou?* – Jesus quer saber.[116]

Os discípulos acham que a pergunta não faz sentido, pois muitos tocaram o mestre no meio daquela gente que o está praticamente esmagando. Mas Jesus insiste, está sentindo algo diferente.

– *Senti uma força saindo de mim!*[117]

Até que uma mulher se aproxima, tremendo de medo, sentindo-se humilhada, pois sua hemorragia incontrolável a persegue, deixando-a terrivelmente impura de acordo com a lei judaica. Ela se ajoelha diante do pregador e lhe conta apenas o motivo de sua impureza: faz doze anos que não para de sangrar, como se estivesse eternamente menstruada.

– *Minha filha, sua fé a salvou... vá em paz!* – Jesus diz à mulher, pronunciando sua cura e seguindo seu caminho.[118]

Quando é chamado para fazer algo pela filha do chefe da sinagoga, Jesus pede que só os apóstolos Pedro, João e Tiago o acompanhem dentro da casa. Os mesmos escolhidos verão o momento em que ele con-

GEORGE PERCY JACOMB-HOOD
A RESSURREIÇÃO DA FILHA DE JAIRO (1895)
Galeria de Arte Guildhall, Reino Unido

versará com os profetas Moisés e Elias e, ainda mais tarde, serão também os únicos a acompanhá-lo nas orações ao pé do Monte das Oliveiras, momentos antes de sua morte.

Jesus está prestes a fazer um milagre controvertido, trazendo um morto à vida, o que talvez lhe cause problemas. Por isso, só os três apóstolos escolhidos e os pais de Talita podem ficar por perto.

Talita tem doze anos, a idade que para os judeus significa a entrada na maturidade, o provável começo da menstruação, momento em que se celebra o *bat mitzvah*, o *mandamento da menina*. Ela parece morta, todos choram terrivelmente, pois não têm dúvida disso, mas Jesus pega sua mão e desafia a morte, dizendo que Talita está apenas dormindo.

– *Talita, cum! Levanta!* – ele diz em aramaico, antes de vê-la caminhando.[119]

Num momento raro em que faz um milagre diante de pouquíssimas testemunhas, Jesus pede aos parentes de Talita para não contarem nada a ninguém.

Ao curar Talita e a mulher com hemorragia, estará Jesus liberando as mulheres da culpa imposta a elas pelos homens judeus, que sempre lhes disseram que estavam impuras durante seus períodos de menstruação? Ou estará apenas dizendo que a cura de todos os males poderá ser obtida através da fé?

Apesar das muitas interpretações que serão feitas sobre esses dois momentos, de concreto só nos restarão as palavras escritas nos Evangelhos, que parecerão reafirmar que só a fé em Jesus traz a salvação.

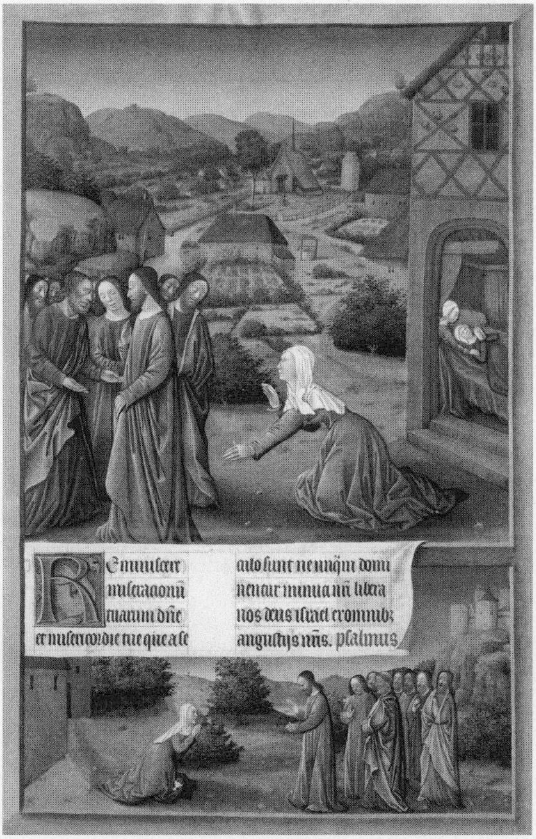

IRMÃOS LIMBOURG
MULHER COM HEMORRAGIA (1411-16)
Museu Condé, França

Impossível não perceber que a impureza da mulher que sangrava a perseguia por doze anos, que a menina tem também doze anos, que é o mesmo número de apóstolos, e também de tribos de Israel, sugerindo, talvez, a renovação que Jesus e seus doze homens estão trazendo aos descendentes das doze tribos.

18 | AS EXIGÊNCIAS DA FÉ

Ao entrar no vilarejo onde passou a infância, onde dirão que trabalhou como carpinteiro ou construtor, onde ainda vive sua mãe, o pregador parece perder suas forças. Seja por causa da presença do que nos dirão serem seus irmãos e irmãs, ou primos e primas, seja por causa de vizinhos invejosos ou desconfiados, o que ficará registrado é que Jesus de Nazaré não consegue fazer milagres em Nazaré.

Ele já disse antes que em Israel não encontrou fé que se aproximasse da fé do centurião romano que o procurou, mas agora está indignado com a descrença no lugar que lhe empresta até o nome, pois justamente em Nazaré o Nazareno se sente enfraquecido pela falta de fé das pessoas na sinagoga.

E essa falta de fé, ou a fé vacilante dos que estão mais próximos, será uma questão central de sua pregação, pois os apóstolos demoraram a acreditar nele e, mesmo quando sua morte estiver próxima, seu apóstolo maior, aquele que justamente pela solidez de sua fé foi renomeado como *pedra*... até Pedro vacilará em sua fé e negará Jesus quando estiver com medo da morte.

FRANCISCO DE GOYA
SÃO FRANCISCO DE BORJA E O IMPENITENTE MORIBUNDO (C. 1788)
Catedral de Valência, Espanha

Jesus insistirá que a fé exige sacrifício, e, mais do que isso, que a fé verdadeira é condição fundamental para que alguém possa obter o perdão dos pecados e a salvação da alma.

– *Profetas são sempre honrados, menos no lugar de onde vêm, e entre seus parentes, e em sua própria casa* – ele diz, como se dissesse que em casa de carpinteiro a cama do menino é de pedra, para não dizer o óbvio, que em casa de ferreiro o espeto será sempre de pau, ou, mais apropriadamente ainda, que *todos os que fazem sapatos andam descalços*, pois essa é a versão judaica do mesmo ditado. E, afinal, ter tanta clareza, e até humildade, num momento como esse, acaba sendo uma mão na roda, ou nas sandálias, pois o filho do carpinteiro não anda descalço, e não vê a hora de sair de Nazaré.[120]

Depois de sentir-se fragilizado pela incredulidade do povo nazareno, sentindo-se momentaneamente enfraquecido em seus poderes, depois também de ser rejeitado por um grupo de samaritanos, Jesus decide repensar suas estratégias.

Demonstra impaciência com os próprios discípulos.

Recruta novos seguidores pela estrada.

JOHN MARTIN
A DESTRUIÇÃO DE SODOMA E GOMORRA (1852)
Galeria de Arte Laing, Reino Unido

ADRIAEN VAN DE VENNE
A PESCA DE ALMAS
(1614)
Rijksmuseum, Países Baixos

Um deles quer se despedir da família, mas Jesus não deixa. Outro pede permissão para enterrar o pai antes de segui-lo. Jesus está realmente sem paciência.

– *Deixe que os mortos enterrem seus mortos... Quanto a você, vá anunciar o Reino de Deus!* [121]

O pregador avalia que o trabalho a ser feito para anunciar o Reino de Deus é enorme, e percebe que não poderá fazê-lo sozinho.

– *A colheita é grande, mas os operários são poucos.*[122]

Jesus monta praticamente um exército de missionários. Junta setenta e dois discípulos e os orienta a sair em duplas, promovendo curas e exorcismos, dizendo-lhes também que exercitem a bondade e a humildade, pois não quer ver seus representantes usando nada além de uma sandália de couro e uma túnica.

Sim, apenas uma.

Qualquer coisa além disso será luxo desnecessário.

Não quer vê-los também carregando alforjes com pão ou dinheiro, pois não precisam de nada: deverão ser peregrinos humildes, e se hospedar, e se alimentar, na casa de quem os quiser receber. Seja em cama de pedra, palha ou madeira. Afinal, Jesus quer mostrar que as coisas dos outros, cama, comida ou mesmo roupas, não têm nada de impuras. Mas não venham nos rejeitar!

– *Se vocês não forem bem recebidos em algum lugar, ou se eles se recusarem a ouvi-los, quando saírem, sacudam a poeira de seus pés como um testemunho contra eles.*[123]

Em outras palavras, Jesus está dizendo que aqueles que não o amarem terão problemas no futuro. E acrescenta, inclusive, que essas pessoas serão julgadas por Deus com menos tolerância até do que pecadores famosos.

Jesus afirma que não há nada pior do que alguém desprezar sua mensagem, nem mesmo os pecados cometidos pelos habitantes de Sodoma e Gomorra, as duas cidades que o livro do Gênesis contou terem sido completamente arrasadas por uma chuva de enxofre e fogo, punição pela arrogância e violência de seus habitantes, que abusaram de virgens, violentaram mulheres e homens e liberaram a homossexualidade tão precipitadamente que acabaram merecendo a ira de Deus.[124]

– *No dia do julgamento haverá menos rigor para Sodoma e Gomorra do que para aquela cidade!* [125]

É por esses dias que chega uma notícia terrível: depois de muito tempo acorrentado, João Batista recebeu sua sentença final.

CARAVAGGIO
SALOMÉ RECEBE A CABEÇA DE JOÃO BATISTA (1607-10)
National Gallery, Reino Unido

19 | TERROR NA JUDEIA

Jamais saberemos em que dia foi exatamente. Haverá elementos históricos para se supor que se passaram dois anos desde o dia em que Jesus foi batizado, mas não temos como dizer onde ele está quando recebe a notícia que vem se espalhando como chuva de enxofre sobre batizados e não batizados. Mas podemos imaginar que nem ele escapará de um terrível mal-estar quando souber que os romanos mataram João Batista.

Estão todos, afinal, aterrorizados, pensando coisas como *esse absurdo não tem limites*, ou, no caso dos que sabem que incomodam os poderosos, *se não me cuidar, Deus seja louvado, o próximo serei eu.*

De nada adiantou que multidões fossem até Herodes lhe pedir clemência. Pelo contrário. Foi por causa da força do prisioneiro que Herodes resolveu matá-lo, acreditando que assim cortava o mal pela cabeça.

Nas masmorras do castelo Macherus, João foi executado por um soldado romano, com uma espada partindo-lhe o pescoço. E a notícia está avançando por vilarejos, sinagogas e desertos. Só se fala nisso. *Os malditos romanos cortaram a cabeça de João Batista*, é o que imaginamos as mulheres dizendo às vizinhas e essas repetindo aos maridos, e assim por todos os ouvidos.

Estudiosos concluirão que a sentença foi motivada pela revolução que era quase uma consequência natural do discurso messiânico e apocalíptico de João. Apocalipse, em outras palavras, seria o fim dos tempos romanos sobre a terra prometida aos judeus. Herodes temia que o pregador usasse sua enorme influência sobre as multidões para agitar o povo contra Roma, coisa que com ou sem o Batista, logo, logo irá acontecer. Aliás, surgirão ainda inúmeros revolucionários muito mais enfáticos que João Batista, dispostos a matar quem for preciso para salvar Israel do poder estrangeiro. Por incrível que pareça, a acusação foi pelo mesmo crime de insurgência que em breve dirão que Jesus terá cometido ao se apresentar como Messias, ou o próprio Deus aqui na terra, desafiando a ordem estabelecida, querendo ser o rei dos judeus, quando se sabe que só um cidadão romano pode ser rei, ou tetrarca, digamos com certa ironia, pois ainda que, por costume ou necessidade, aumentem seu título, foi mesmo *tetrarca* o título sem graça que Herodes Antipas recebeu quando foi obrigado a partilhar com os irmãos e com emissários de César o reino que um dia, por inteiro, foi de seu pai.

A morte de João Batista será noticiada com grande destaque no livro de História mais detalhado sobre o tempo em que estamos. Em *Antiguidades judaicas*, de Flávio Josefo, estará escrito que os judeus pensam que Deus está furioso com Herodes, *pois ele matou um homem bom, que levou os judeus a exercerem a virtude, a justiça com o próximo e a piedade diante de Deus, e para virem ser batizados.*[126]

As palavras contundentes do historiador terão impacto enorme e ajudarão os estudiosos a entender quem foi o grande líder executado no mesmo castelo onde o rei está praticamente em lua de mel com sua nova mulher, roubada do irmão. Impossível não perceber que Josefo não terá palavras nem de longe tão expressivas quando for falar de Jesus, usando uma única frase de historicidade comprovada, ao registrar o apedrejamento de um líder religioso, *o irmão de Jesus, a quem chamam Cristo, cujo nome era Tiago.*[127]

Os Evangelhos, no entanto, nada dirão sobre a preocupação de Herodes com os perigos revolucionários de João Batista. Afirmarão, pelo contrário, que o rei sabia que ele era um homem justo e sagrado, que o temia, e o protegia nas masmorras de seu castelo. Mais ainda. O autor de Mateus, possivelmente reproduzindo o que ouvirá do apóstolo Pedro, dirá que Herodes gostava de escutar as pregações de João. Descia à prisão para ouvir suas palavras sobre luzes e trevas? Ou mandava chamá-lo ao gabinete para se encantar com as palavras do profeta?

De acordo com a Bíblia cristã, contrariando a versão do historiador Josefo, terá sido por uma intriga palaciana que o rei resolveu cortar a cabeça de seu prisioneiro famoso.

No dia de seu aniversário, ao ver Salomé dançando maravilhosamente, o rei teria prometido atender a qualquer pedido, mesmo que a filha quisesse se apoderar da metade de seu reino. O relato bíblico nos informa que Salomé consultou sua mãe, Herodíade, e que foi ela quem deu a terrível sugestão.

FLÁVIO JOSEFO
The Genuine Works of Flavius Josephus.
Nova York: Virtue & Yorston, [1874?].

– *Peça a cabeça de João, o Batista!* – Herodíade teria sussurrado à filha Salomé, querendo finalmente se vingar das acusações de adultério que João fazia contra ela, ao condenar seu casamento com o irmão de seu ex-marido depois de julgá-lo conforme as leis judaicas.[128]

A cabeça do prisioneiro lhes chegou numa bandeja que, imaginamos, vinha também cheia de sangue, que escorria e sujava as pedras no chão do palácio. Pintores europeus ficarão tão encantados com o potencial dramático da cena que farão dela a imagem mais conhecida de João Batista. A tela do milanês Caravaggio, separando bem os claros e os escuros deste drama, merecerá atenção especial dos visitantes da National Gallery de Londres.

Dá até para imaginar um serviçal dizendo ao rei algo como *lhe entrego a cabeça do antecessor para que o senhor se acalme, mas logo, logo cuidaremos daquele que será a maior ameaça a seu poder, pois será chamado de rei... rei dos judeus.*

Apesar do fim bárbaro e desumano que lhe deram, João Batista teve um enterro parcialmente digno, pois nos contarão que seu corpo sem cabeça foi enterrado num túmulo, do jeito que manda a tradição judaica. E sua importância será tanta para os seguidores de Jesus que, mesmo dois mil anos depois, haverá no mundo pelo menos cinco templos – igrejas e mesquitas – guardando cinco cabeças que supostamente terão pertencido àquele que será chamado de são João Batista. Quatro dessas cabeças certamente terão saído dos corpos de outros pobres condenados, num tempo em que decapitação é sentença tão rotineira quanto crucificação. Mas o Vaticano acreditará que uma dessas relíquias, cultuada por mais de um milênio numa igreja da Samaria, de fato terá sido a cabeça original, e muito mais tarde a levará para uma igreja romana, mais perto dos papas.

E agora que o fato está consumado, o povo está comemorando a derrota militar de Herodes, arrasado pelos vizinhos nabateus, justamente porque, ao querer Herodíade, abandonou Fasélia, a filha do rei Aretas, que ficou enfurecido ao saber dos maus-tratos impostos à moça e atacou para arrebentar.

Assim, somos levados a imaginar os seguidores de João sussurrando coisas como *bem feito, Antipas covarde, tetrarca de meia-tigela.* Ou alguém com certeza de que foi maldição dizendo: *é claro que perdeu a guerra pelo mal que fez a João... louvados sejam os soldados de Aretas.* Ao que outros possivelmente complementarão, com muito mais concisão e rancor: *Deus o puniu!*

Os Evangelhos não registrarão nenhum comentário de Jesus sobre a morte daquele que merecerá os primeiros capítulos dos manuscritos que contarão sua história. Mas o Evangelho de Mateus dirá que Jesus falou muito sobre João Batista a seus emissários, que o procuraram, aparentemente, querendo levar notícias ao profeta na prisão em Macherus.

– *Vão e contem a João sobre o que vocês ouviram e viram!* – Terão sido suas palavras, possivelmente querendo mostrar que se tornou ainda maior do que o precursor. – *Os cegos enxergaram, o coxo caminhou, os leprosos se purificaram, os mortos ressuscitaram e os pobres receberam a boa notícia. Abençoado seja aquele que não tiver dúvidas sobre mim!*[129]

Depois de prestar contas de seus grandes feitos àquele que o batizou, Jesus falou de João Batista como o maior de todos os profetas.

– *Entre os nascidos de mulher não surgiu nenhum maior que João, o Batista.*[130]

Por fim, Jesus disse que João era o sucessor de Malaquias, o profeta que anunciou que Elias voltaria a conviver entre os homens, antecedendo o *dia de Deus*.[131]

– *Ele é o Elias que deve vir... Quem tem ouvidos, ouça!*[132]

No futuro, e por muitos séculos ainda, os seguidores de João Batista usarão essas declarações como prova de que o mestre deles era o verdadeiro Messias. Afinal, perguntarão com disfarçada ironia, *não é o próprio Jesus quem está dizendo que não houve homem maior que João?*[133]

20 | O LIVRO DE JOÃO BATISTA

Os discípulos do Batista agora estão reunidos e parecem não dar importância a Jesus. Entre aqueles que conviveram com o Nazareno antes da partida para a Galileia, não se dirá que João foi seu precursor, pois o novo líder do grupo será Natanael, imortalizado na História pela versão grega de seu nome sujo na praça: Dositeu.

Quem nos dará muitas pistas sobre esse episódio será um autor cristão que, em seus manuscritos, escreverá como Clemente, um dos primeiros bispos de Roma.

Cada época com suas literaturas.

O livro *Reconhecimentos de Clemente* será escrito como uma espécie de ficção baseada em fatos reais, mas assim mesmo será documento cristão importantíssimo, extremamente relevante por seu conteúdo histórico e teológico. Na visão de alguns estudiosos, um dos textos mais importantes e reveladores do começo do cristianismo.

O autor que usará o pseudônimo de Clemente de Roma nos revelará pensamentos dos primeiros cristãos e incluirá em sua história personagens verdadeiros, supostamente vistos pelo olhar do papa, contemporâneo do apóstolo Pedro.[134] Ele nos contará que, depois da morte do profeta dos batismos, seus discípulos se reuniram para escolher um novo líder, e não pensaram que esse líder poderia ser Jesus. Mas, se João Batista viu no Nazareno o *Cordeiro de Deus*, por que seus discípulos não o convidam para comandar o grupo? Talvez porque Jesus esteja tão longe que não seria mais possível contar com sua liderança. Ou sua presença não foi tão marcante?

Poderíamos apenas especular, pois não há fontes que nos permitam certezas. Nem de uma coisa nem de outra. É provável que, mesmo sendo honrosas as palavras do mestre sobre Jesus de Nazaré, o desejo de poder tenha subido à cabeça de alguns. O autor conhecido também como pseudo-Clemente contará que *mesmo alguns discípulos de João Batista, que pareciam ser grandiosos, se separaram do povo e proclamaram seu mestre* [João Batista] *como sendo o Cristo.*

E tal proclamação será comprovada pela História.

Dois mil anos depois, continuará existindo, mais que tudo no Iraque, uma religião gnóstica que defenderá que João Batista é que deveria ser chamado de Cristo. Os mandeus, como serão conhecidos, guardarão cópias de um pergaminho ancestral, escrito por volta dos anos 300, ba-

JUAN CORREA DE VIVAR
PAPA SÃO CLEMENTE (1540-45)
Museu do Prado, Espanha

seado em lendas e escritos contemporâneos dos Evangelhos, o *Livro de João Batista*. Será uma exaltação ao profeta, repetindo o bordão *João proclama na noite* enquanto vai apresentando seu ministério.

O livro contará que, antes do nascimento de João, sacerdotes judeus tiveram uma visão: uma estrela parou sobre Isabel, sua mãe, e três outras estrelas se acenderam.

– *A estrela que apareceu sobre Isabel significa que uma criança deve ser plantada em seu útero, vinda das alturas dos céus... João receberá o rio Jordão, e será chamado profeta em Jerusalém.* – Terão concluído sacerdotes na época ao interpretar a visão.[135] O livro que poderia facilmente ser chamado de Evangelho de João Batista seguirá narrando a história do profeta, e também do que teriam sido seus encontros com aquele a quem chamam de Jesus Messias, *o enganador*.

Numa passagem, João está afirmando que cumpriu com todas as suas obrigações. Por exemplo, a de respeitar o domingo e a de se curvar diante do sol nascente, hábito aprendido com os essênios. Há no livro sagrado dos mandeus um encontro místico de João com os Sete Arcontes e os Doze Poderes Zodíacos, que se curvam diante do pregador – uma referência à astrologia babilônica que permeia o gnosticismo e o judaísmo de seu tempo, e que estará de outras maneiras na filosofia de alguns dos primeiros grupos cristãos.

– *Não há ninguém como você!* – São as palavras dos Sete Arcontes e dos Doze Poderes Zodíacos. – *Ó João! Você ascenderá* [aos céus] *e aqueles que você batizou deverão ascender com você.*

As entidades astrológicas estão dizendo que *a casa da imperfeição* – ou seja, o corpo daqueles espíritos que ascenderem ao céu – será abandonada no deserto. E todos os que provarem que estão livres de pecados irão ascender até onde João Batista estará, na região da luz.

João conversa também com uma mulher chamada Maria, que estudiosos entenderão ser a mãe de Jesus.

– *Onde existe outro profeta como eu? Quem faz proclamações como as minhas? Discursos com minha voz maravilhosa?* – João diz, e em seguida vê o choro de sua mãe, Isabel, e o choro de Maria que, aparentemente grávida, decide ir embora.

– *Vou partir agora, mas você fica...* – Maria diz a João Batista, sugerindo desconfiança – *...assegure-se de que não vai me fazer tropeçar!*

O momento retratado aqui talvez seja um outro ponto de vista para aquele que estará nos Evangelhos, quando Maria saiu da casa de sua prima para dar à luz seu bebê.

JAN VAN EYCK
RETÁBULO DE GANTE: SÃO JOÃO BATISTA (C. 1426)
Catedral de São Bavão, Bélgica

Há ainda um momento em que João sai de seu corpo, no que se define como *um transe*. Até que, conforme os escritos preservados no *Livro de João Batista*, o profeta desafia aquele que é chamado de Jesus Messias, dizendo que ele esteve no rio Jordão para ser batizado e prometeu ser para sempre seu discípulo. São palavras fortes que poderão embrulhar o estômago de qualquer cristão. Mas, ainda que possam ser contestadas, resistirão ao tempo e apresentarão uma versão oposta à que estará nos Evangelhos.

21 | O DIÁLOGO ENTRE JOÃO E JESUS NO MOMENTO DO BATISMO CONFORME RELATADO PELOS SEGUIDORES DO BATISTA

No diálogo extraído do livro dos mandeus, os dois religiosos judeus estão em Jerusalém, e João parece decidido a demonstrar a Jesus que ele não passa de um enganador, e que, mesmo que o chamem de Cristo ou Messias, não há nenhuma santidade, muito menos divindade, em suas atitudes. O suposto diálogo se dá no momento em que Jesus está pedindo para ser batizado.

João, a princípio, o rejeita.

– *Você mentiu aos judeus e enganou os sacerdotes! Você rompeu com todos os descendentes do homem e privou as mulheres de ficarem grávidas e terem filhos... O respeito ao Sábado, que Moisés fez obrigatório, você o desfez... Você mentiu a eles com música e espalhou desgraça com o* shofar! [136]

– *Se eu menti aos judeus, que um fogo ardente venha me consumir!* – É o começo da resposta atribuída a Jesus, que vai rebater cada uma das acusações.

Em seguida – sem que o leitor possa se esquecer de que esse é o conteúdo do livro daqueles que louvam João Batista e se opõem a Jesus Cristo – o profeta dá mais uma lição naquele a quem vê como discípulo.

– *Nenhum gago se torna professor... nenhum cego escreve uma carta... o herdeiro de uma casa sem filhos não ascende ao céu e nenhuma viúva se torna virgem. Água suja não pode se tornar doce... e uma pedra não fica mais suave quando massageada com óleo.* – Podemos ouvir a voz inflamada de João Batista. – *Se você puder me dar exemplo dessas coisas, você é realmente um messias inteligente.*

Jesus, então, rebate tudo com gentileza e otimismo.

– *Um gago pode se tornar professor quando uma criança, que vem de um útero, floresce e se torna grande... um herdeiro de uma casa sem filhos que ascende à luz é um homem poderoso que se torna humilde...* – E assim Jesus vai transformando a virulência de seu opositor em metáforas filosóficas que poderiam, talvez, estar em acordo com o que o mundo entenderá ser sua maneira de pensar. – *A água suja que se torna doce é a menina promíscua que reconquista sua honra.* [...] *A pedra que fica macia com a aplicação de óleo é um herege que desce da montanha da escuridão onde os Arcontes se encontram* [talvez a porta do inferno]. *Ele abandonou a mágica e a feitiçaria e professou sua fé no Todo-poderoso.*

O diálogo segue.

Jesus, supostamente, está insistindo para ser batizado, apesar dos insultos que acaba de ouvir.

É quando, de forma inexplicada, João recebe uma carta de Abatur, o pai das criaturas celestiais: *João, batize o enganador no Jordão.* E João, mesmo sem desejar, o obedece.

Informados de que tal livro foi escrito depois dos Evangelhos, restará aos estudiosos considerar a hipótese de que se trata de uma releitura, ou mesmo uma paródia, com a intenção de reescrever a história do ponto de vista dos seguidores de João Batista, profundamente magoados porque os cristãos dirão ao mundo que seu mestre terá sido apenas um precursor de Jesus.

Enfim, o pergaminho relata que no momento do batismo *Ruah se transformou numa pomba e projetou uma cruz de luz* sobre as águas do rio Jordão. Há uma série de símbolos escondidos nessa afirmação.

Conforme alguns estudiosos concluirão, quando as águas claras ficam coloridas estão perdendo a pureza para serem manchadas pelas heresias atribuídas por João a Jesus. A palavra *Ruah*, que em hebraico simples significa vento, também pode ser entendida como Espírito de

GUIDO RENI
JESUS E JOÃO
BATISTA (C. 1640)
*National Gallery,
Reino Unido*

Deus, mas, de acordo com a crença dos mandeus, é o nome da mãe dos Sete Arcontes, fonte de toda a heresia, simbolismo usado pelos seguidores de João Batista para falar da religião cristã.[137]

– *Ó Jordão!* – estará dizendo o espírito da mãe dos Sete Arcontes. – *Mantenha-me sagrada e santifique meus sete filhos!*

Tenha paciência!

Não é o fim do mundo.

Nem é preciso se aborrecer, levantar-se da cadeira ou da cama onde você repousou sua cabeça querendo apenas ler uma boa história sem se chatear. O princípio do contraditório, advogados concordarão, é prerrogativa para qualquer justiça que mereça esse nome. *Audi alteram partem!* Ouça-se o outro lado, ainda que para repudiá-lo. Beba um copo d'água, se precisar. Mas venha logo. Ainda vão colocar muita lenha nessa fogueira.

22 | A SUCESSÃO DO BATISTA

Enquanto alguns discípulos passaram a cultuar João Batista como se ele fosse o Cristo, outros estão querendo o seu lugar, falando mal ao mesmo tempo de Jesus e do pregador que os liderava. O pergaminho cristão assinado com o pseudônimo de Clemente de Roma dirá que Dositeu convenceu uma parte do grupo de que o líder falecido era só mais um profeta sem importância e que, ao contrário do que começaram a dizer pela Galileia, Jesus não é o verdadeiro Cristo, não é aquele ser iluminado que muitos judeus esperavam. O candidato a novo líder do grupo de religiosos nega, por exemplo, a ideia de ressurreição dos mortos, dizendo que não se pode adorar a Deus com a expectativa de um dia receber uma recompensa no céu.

É o próprio Anti-Jesus...

Ou Anticristo.

E ainda mais aquilo...

E mais isto.

Dositeu começou a dizer que ele próprio é o enviado de Deus, e está usando de sua malvadeza para conquistar uma boa parte do grupo, apresentando-se como o salvador que guiará seu rebanho até o Reino dos Céus.[138]

JUÍZO FINAL
Mosteiro de Voroneț, Romênia

Pasmem, nazarenos!

O homem que será considerado um dos maiores hereges da história cristã foi escolhido para liderar o grupo de discípulos do profeta que batizou Jesus. Mais do que isso, terá seguidores ainda por muitos séculos, gente que afirmará que seu mestre terá sido levado aos céus, sem jamais morrer.

Mas o reinado de Dositeu entre os discípulos do Batista não vai durar muito. Conforme dirá o autor que assina como Clemente de Roma, Dositeu foi substituído por um homem extremamente sedutor, com habilidades de mágico e feiticeiro.

É Simão.

O mesmo que será retratado nos Atos dos Apóstolos como um pilantra que diz ter poderes divinos. Falso curandeiro que usa sua mágica para enganar o povo.[139]

Daí seu apelido de Mago.

Mas em História, como sabemos, a verdade pertence a quem tem poder para contá-la. O historiador Flávio Josefo, sem qualquer ligação com o cristianismo, nos informará que um certo Simão foi contratado pelo governador Félix para fazer uma mandinga de amor e arrancar Drusila de seu marido. Então a magia de Simão realmente funciona? É possível pedir ao Mago para fazer um trabalho e trazer a mulher amada? Ou os romanos também terão se enganado?

Não nos dirão.

O manuscrito do pseudo-Clemente afirmará que Simão é *um mágico exageradamente bem treinado em literatura grega, desejoso de glória*, um curandeiro egocêntrico que tenta fazer com que acreditem que ele é um poder superior, que *ele* é o Cristo. E da mesma forma como fez de tudo para ser aceito como um dos apóstolos de Jesus, sem sucesso, agora Simão Mago fez o diabo para liderar o grupo de seguidores de João Batista. E conseguiu.

23 | CADA UM OFERECE O QUE TEM DENTRO DE SI

Simão Mago usou de toda a sua capacidade de sedução para dominar Dositeu, fingiu amizade e conseguiu enganá-lo. Disse que era Deus, mesmo que se diga que era um terrível diabo. Depois disso, no entanto, suspeitando das artimanhas de Simão, Dositeu pegou um cajado e tentou matá-lo. Mas o cajado parecia atravessar o corpo do Mago como se ele fosse feito de fumaça. Como se tivesse, de fato, superpoderes.

Dositeu ficou profundamente impressionado.

– *Diga-me se você é o Messias, e eu o adorarei!*

Simão Mago, claro, disse que sim, que ele era o ungido por Deus. E Dositeu, supostamente admitindo que, se o outro era tão poderoso, ele próprio não poderia ser o Cristo, caiu de joelhos para adorar o dito charlatão, que, desde então, tornou-se o líder do grupo de trinta homens e saiu pelas vilas e desertos fazendo mágicas impressionantes, atraindo multidões e se dizendo tão poderoso quanto o Criador.

– *Posso fazer árvores nascerem de repente e logo produzir frutos!* – Simão Mago dizia à plateia que o cercava. – *Posso me jogar no fogo e não me queimar... posso fazer barba crescer em menino... posso levitar... posso*

BENOZZO GOZZOLI
QUEDA DE SIMÃO MAGO
(1461-62)
Royal Collection,
Reino Unido

me transformar numa ovelha... posso fazer e desfazer um rei! [140]

Ainda por muitos séculos, os seguidores de Simão Mago acreditarão que será possível obter a salvação aceitando que ele foi crucificado e depois reencarnou noutro corpo com superpoderes, e que só depois desse fenômeno espiritual se tornou famoso por suas mágicas e curas – as mesmas que os cristãos dirão ser obra de puro charlatanismo.

Quando Jesus tiver sido crucificado e ressuscitado, pelo que nos contarão nos Atos dos Apóstolos, Felipe viajará à região da Samaria para pregar os ensinamentos do mestre. Descobrirá que Simão Mago está por lá, encantando multidões com seus poderes e feitiçarias, fazendo os samaritanos acreditarem que aquele ser humano tem de fato uma relação muito próxima com Deus.

Mas a mesma fonte cristã nos dirá que o apóstolo será bem-sucedido em sua missão. Até o Mago aceitará ser batizado depois de se impressionar com os poderes milagrosos do apóstolo Felipe.

O problema maior virá com a chegada dos apóstolos Pedro e João, depois que eles colocarem suas mãos sobre os samaritanos e fizerem o Espírito Santo descer sobre eles.[141]

Simão Mago ficará obcecado e oferecerá dinheiro a Pedro querendo comprar o poder divino que, pelo que nos contarão, terá sido concedido por Jesus a seus apóstolos.

– *Dê-me também esse poder para que aquele sobre quem eu puser minhas mãos receba o Espírito Santo* – dirá o Mago, antes de ouvir a resposta dura de Pedro.

– *Que o seu dinheiro apodreça com você... porque você pensou que poderia comprar um dom de Deus... Arrependa-se e reze!* [142]

O ato de Simão Mago um dia será imortalizado numa expressão conhecida como *simonia,* a tentativa de corromper um representante da Igreja. Mas a Igreja ainda não foi criada e ainda estamos nos despedindo do grupo que começou tudo isso batizando homens e mulheres nas águas do rio Jordão.

Há muitos candidatos a Messias entre eles. E, por mais que algumas seitas resistam por séculos, todos serão derrotados pela História. Apodrecerão, conforme Pedro ordenou ao Mago, eternamente lembrados como enganadores de multidões e caluniadores da verdade cristã.

Hereges da pior espécie, dirão os teóricos fundadores do cristianismo quando julgarem necessário separar anjos e demônios; cristãos e pagãos.

Jesus, no entanto, não viverá nada disso.

Não verá a discussão na Samaria, pois já terá cumprido sua missão terrena quando Pedro estiver batizando o povo com o Espírito Santo. Assim como, provavelmente ainda em seu tempo de vida, não está vendo o Mago vencer Dositeu, pois faz algum tempo que foi pregar pela Galileia.

Dificilmente Jesus está sabendo da disputa ferrenha que tomou conta daqueles com quem conviveu no tempo em que ainda era um desconhecido. Mas antes de seguir com os fatos, é preciso voltar aos *Reconhecimentos de Clemente,* pois eles nos lembrarão que Jesus também sofrerá acusações.

Escribas o chamarão de falso profeta, dizendo que *os sinais e milagres que o seu Jesus fez, ele não os fez como profeta, mas como mágico.*[143] Quem o defenderá será o mesmo Felipe, dizendo aos escribas que quem acusasse Jesus estaria também acusando Moisés, pois seus milagres eram semelhantes.[144] E Moisés recebeu as tábuas com os dez mandamentos de Deus. É profeta sagrado para todos nesses desertos.

Não se pode dizer que os diálogos relatados pelo pseudo-Clemente de Roma são precisos, nem que os episódios narrados aconteceram tal como aparecerão no livro. Pois é sabido que manuscritos de cunho religioso raramente são precisos. E, a seu modo, sendo um dos textos mais antigos da História do cristianismo, *Reconhecimentos de Clemente* revelará muito sobre o pensamento dos primeiros seguidores de Jesus: quem serão seus detratores, quais as suas preocupações, as acusações contra uns e outros... e assim ficará mais bem explicado por que, apesar de tanta inimizade, ódio e desavenças nas terras de Israel, o pregador que fala de amor irá superar todos os que se dizem Messias e terá força para atravessar milênios e chegar aos tempos modernos.

Para o amor, Deus definiu uma recompensa, mas, para o ódio, uma punição, sentenciará o manuscrito de Clemente, em palavras atribuídas a Barnabás, substituto do traidor Judas, defendendo o amor de Cristo e o amor por Cristo.[145]

Até mesmo entre os muçulmanos, Jesus será visto como um profeta pacifista, que fala, antes de tudo, de amor e bondade, simpatizando com porcos e cachorros, ou sorrindo para aqueles que o maldizem pelas ruas de Jerusalém. É o que nos contará um manuscrito islâmico muito reverenciado pelos muçulmanos, no trecho conhecido como *Os dizeres de Jesus*. O livro será publicado durante a Idade Média, mas, ao que tudo indicará, será fundamentado em fontes cristãs anteriores.

Numa das passagens, o teórico islâmico Abu Hamid al-Ghazali contará que *Cristo passou diante de certos judeus* e foi amaldiçoado por eles. Mas lhes respondeu de maneira agradável, sem insultos.

Alguém, então, o provocou.

– *Falaram mal de você... E você fala bem com eles?*

Jesus lhe respondeu com a mesma serenidade.

– *Cada um oferece o que traz dentro de si.*[146]

De fato, Jesus oferecerá o que tem, seu corpo e sua alma, para se tornar o Salvador do mundo.

PHILIPPE DE CHAMPAIGNE
CRISTO CURA O CEGO
(C. 1655-60)
Museu de Arte Timken, Estados Unidos

QUARTA PARTE:

PEGUE SUA CRUZ E ME SIGA!

24 | PARA MATAR A FOME DA MULTIDÃO

Sem dizer uma única palavra sobre a morte de João Batista, Jesus decidiu pegar um barco para atravessar o mar da Galileia. Curiosamente, quando João foi preso, Jesus atravessou o deserto. Por alguma razão, as dores de João o levam a fazer travessias. E a pensar.

Talvez tenha desejado se isolar para sofrer em silêncio, ou apenas refletir sobre o clima de terror que, claramente, também o ameaça. Mas não chegou a mudar seus planos nem mencionou nada em sua pregação sobre o profeta morto.[147]

Aliás, pouco se falará nos Evangelhos sobre as consequências desse assassinato. As relações entre os seguidores de João e os de Jesus ficaram azedas, e só vão piorar com o passar dos anos. Fazia meses, ou mesmo alguns anos, que os dois não tinham contato. E, afinal, aquele tempo que passaram juntos à beira do rio Jordão é no máximo uma boa lembrança de como tudo começou a mudar em sua vida, um passado já distante depois de tudo o que aconteceu.

Por mais que Jesus queira demonstrar sua autonomia, no entanto, o rei Herodes está pensando que ele e João são a mesma pessoa.

GIOVANNI LANFRANCO
MILAGRE DE PÃES E PEIXES (1620-23)
Galeria Nacional da Irlanda

– *João, aquele a quem mandei decapitar, ressuscitou!* – Herodes está dizendo, ou pelo menos é o que afirmarão que ele está dizendo sobre Jesus, confirmando as semelhanças, talvez até semelhanças físicas, entre os dois.[148]

Noutro momento, seguindo com sua pregação pela Galileia, mais uma vez cercado pela multidão, Jesus tenta de novo sair sem ser percebido. Queria ficar a sós com os apóstolos para que eles, enfim, descansassem de suas viagens missionárias. Entrou num barco e foi à outra margem do mar da Galileia procurando um lugar isolado. Mas a fama que há algum tempo vem atrapalhando sua rotina fez com que multidões de seguidores descobrissem onde ele estava e se aproximassem, obrigando Jesus a mudar de plano mais uma vez.[149]

Sem a menor chance de descansar, e também comovido com o esforço que aquelas pessoas fizeram para estar com ele, Jesus acolheu os fiéis, eram ovelhas sem pastor, e começou a sua pregação.

Mas já está ficando tarde, e não há comida neste deserto. Discípulos o avisam que a hora está se adiantando e não tem pão que chegue para toda essa gente.

– *Deem comida para eles!* – Jesus ordena.

– *Vamos comprar duzentos denários de pão para dar a eles de comer?*

– Os apóstolos acham o pedido quase impossível de ser atendido, pois estão num deserto, longe de qualquer vilarejo onde possam comprar alguma coisa.

– *Quantos pães vocês têm? Vão ver!* – Jesus lhes ordena mais uma vez, e logo os apóstolos voltam com a resposta.

– *Temos cinco pães e dois peixes.*

Jesus mandou que os apóstolos organizassem a multidão, que fizessem todos se sentarem no pasto. E os Evangelhos contarão que eles foram divididos em grandes grupos de cinquenta e cem pessoas aproximadamente.

Com aquela comida, tão pouca que cabia em suas mãos, Jesus levantou tudo em direção ao céu. Abençoou os pães e pediu aos discípulos que os colocassem diante das pessoas. Repartiu o peixe.

Os Evangelhos contarão que, milagrosamente, o alimento se multiplicou, e os apóstolos levantaram doze cestos cheios de pães e peixes, e os distribuíram entre os fiéis. O que ficará conhecido como milagre da multiplicação terá alimentado cinco mil pessoas. E ainda que possa haver imprecisões nesse número, pois muito provavelmente não se fez uma contagem criteriosa, ele dará uma ideia sobre o tamanho da multidão que segue Jesus aonde quer que ele vá.

Mas agora o pregador vai rezar sozinho.

Sempre que pode, sobe a montanha para falar com Deus.

Os apóstolos estão num barco, venta muito e eles estão remando para não se afastarem da margem. Foram ordens de Jesus. Mas, assim mesmo, estão cansados de tanto lutar contra a correnteza.

Muito tempo depois, quando está escuro, Jesus desce da montanha e vai na direção das águas. Podemos imaginar a emoção e o susto dos apóstolos ao verem Jesus caminhar sobre o mar da Galileia, sem afundar, indo na direção deles. Assim estará nos Evangelhos. Os apóstolos ficaram confusos. E, na escuridão da noite, se assustaram. Começaram a gritar pensando que fosse um espírito querendo assombrá-los.

Pedro, no entanto, sempre ele, demorou a acreditar. E o Evangelho de Mateus relatará aqui um outro milagre.

– *Senhor, se é você, mande-me ao seu encontro sobre as águas.*[150]

– *Venha!*

JULIUS SERGIUS VON KLEVER
CRISTO ANDANDO SOBRE AS ÁGUAS
(C. 1880)
Paradeiro desconhecido

Diante do chamado de Jesus, Pedro caminha sobre as águas do mar da Galileia por alguns instantes, até que fica com medo da ventania e começa a afundar.

É Jesus quem o resgata.

– *Homem de pouca fé, por que você duvidou?* [151]

De volta ao relato de Marcos, onde não há milagre sob os pés de Pedro, no momento em que Jesus sobe no barco, o vento para. E os apóstolos finalmente entendem que estão presenciando acontecimentos extraordinários.

Mas não só isso.

Quando fariseus encarregados de garantir o cumprimento das leis judaicas questionam Jesus, pois a multidão come pão sem lavar as mãos, ele diz a seus seguidores que não precisam mais se preocupar com doutrinas que são *mandamentos de homens,* pois os escribas fariseus estão invalidando mandamentos de Deus para seguir aquela tradição.

Os fariseus não falam nada sobre o milagre.

– *Não existe nada fora do homem que ao entrar em seu corpo possa contaminá-lo* – Jesus diz aos seguidores, terminando com a frase que costuma usar quando desafia a lei de Moisés: – *Se alguém tiver ouvidos... que ouça!* [152]

Ao explicar o significado de suas palavras aos apóstolos, Jesus diz que não existe comida impura, mais uma vez dispensando-os de cumprir a tradição judaica que impõe uma série de limitações alimentares, desde não misturar carne com leite na mesma refeição até jamais comer carne de porco, frutos do mar e peixes sem escamas.

– *O que sai do homem... isso contamina o homem!* – ele segue em sua explicação aos apóstolos. – *Porque do interior do coração dos homens saem os maus pensamentos, os adultérios, fornicações, assassinatos... os furtos, a avareza, as maldades, o engano, a dissolução, a inveja, a blasfêmia, a soberba... a loucura.*

Os Evangelhos relatarão ainda outro milagre de multiplicação de pães e peixes, quando Jesus mais uma vez estiver cercado pela multidão que, depois de três dias sem parar de segui-lo, novamente não terá o que comer.

De volta ao barco, Jesus aponta quem são seus inimigos, e começa a antecipar seu futuro, pois diz aos discípulos para ficarem longe dos fariseus e de Herodes.

Deixando claro que está ficando mais impaciente, Jesus usa da própria saliva para curar a língua de um surdo-mudo e cospe nos olhos de um cego para fazê-lo enxergar outra vez. Não tem mais a delicadeza de antes.

Mostrando que sua mensagem está indo para muito além dos judeus, ele promove a cura da filha de uma mulher fenícia.

O movimento de abertura dos caminhos de Deus aos *goyim*, aqueles que os judeus preconceituosamente chamam de gentios, ficará ainda mais claro depois, quando os apóstolos saírem pelo mundo e fundarem a sede de sua Igreja justamente em Roma, o coração do império que os persegue.

O pregador foi embora.

Pegou a estrada rumo ao vilarejo de Cesareia de Filipe, que não é a mesma Cesareia que há nas margens do Mediterrâneo, um lugar de culto pagão, associado anteriormente ao deus Pã, e ali, perto de onde um dia será o Líbano, nas proximidades de um Templo dedicado ao *deus* imperador, falou pela primeira vez do dia de sua morte.

25 | SEU SEGUNDO NOME AGORA É CRISTO

E ELE SABE QUE VAI MORRER

Nos últimos tempos, Jesus anda muito preocupado com o que os judeus da seita dos fariseus podem fazer com ele. Sabe que os religiosos que se acham *donos* da lei andam vigiando seus passos e poderão fazer qualquer coisa para se livrar dos incômodos que ele anda causando. Mas não serão eles os dedos-duros que irão entregá-lo à montanha da morte. E Jesus se preocupa também com os anciãos, os escribas e os sacerdotes saduceus que tomam conta do Templo. Sabe que estão profundamente incomodados com suas atitudes, pois são revolucionárias tanto do ponto de vista religioso como do político, queira-se ou não, e intoleráveis a quem tem como razão de existência a conservação da religião judaica tal como eles a receberam de seus ancestrais.

Salvo algumas exceções, Jesus recomenda aos curados que não saiam por aí dizendo que foi ele quem os curou. Mas como é possível guardar segredo daquilo que ele faz diante de multidões?

É uma contradição.

Sem dúvida, uma contradição messiânica.

Estudiosos dirão.

Jesus segue em sua missão de tirar os fiéis de suas zonas de conforto. Segue pregando o amor e uma moral rigorosa de respeito ao próximo, mas está certo de que assim como mataram João Batista e muitos outros pregadores revolucionários, a qualquer momento decidirão matá-lo.

Enquanto ainda está no caminho para Cesareia de Filipe, quer saber dos discípulos o que andam falando sobre ele.

– *Quem os homens estão dizendo que eu sou?*

– *João, o Batista...* – disse um apóstolo, mais uma vez lembrando como o povo os confunde.

– *Elias...* – disse outro.

– *Um dos profetas!* – concluiu um terceiro, repetindo o que até então parecia ser um consenso, que Jesus descendia de uma linhagem de grandes profetas.

– *Mas... e vocês? Quem vocês dizem que eu sou?*

– *Você é o Cristo* – Pedro responde, atribuindo-lhe pela primeira vez a identidade que o acompanhará a partir de agora, como um segundo nome, uma marca de santidade irrevogável que durará para sempre.

Outro Evangelho, o de Mateus, escrito pelo menos uma década depois que o de Marcos, acrescentará a resposta de Jesus à conclusão de Pedro.

– *Que você seja abençoado, Simão, filho de Jonas, porque não foi carne ou sangue que lhe revelaram isso, e sim meu Pai que está nos céus.*

No acréscimo trazido pelo Evangelho de Mateus, depois de aceitar ser chamado de Cristo, Jesus reafirmará que Simão deverá ser chamado de Pedro, a pedra sobre a qual se construirá sua *ekklesia,* palavra grega que está na escritura, mas provavelmente uma tradução do hebraico *qahal*, inúmeras vezes usado no Antigo Testamento, sempre significando assembleia, a comunidade do povo eleito, a mesma expressão usada pelos essênios para falar de sua comunidade, o que mais tarde resultará, em português, na palavra *igreja.*

E Jesus prossegue, no momento que será entendido pelos cristãos como a fundação de sua Igreja, universal, no grego *kath'olos,* no latim *catholica*, ou seja, todos juntos, como se decidirá alguns séculos mais tarde, criando a palavra *católicos.*

– *Sobre esta pedra vou construir minha igreja, e as forças do Mal ja-*

PETER PAUL RUBENS
SÃO PEDRO (1610-12)
Museu do Prado, Espanha

mais irão vencê-la![153] – Jesus diz, usando provavelmente o hebraico *xeol* para falar da moradia dos mortos, o mesmo lugar que o credo apostólico dirá mais tarde ser o destino do Cristo no dia seguinte ao da sua morte, a mansão dos mortos, o inferno onde ele terá ido salvar a humanidade de todos os males, resgatando, assim, as almas pecadoras encarceradas no fundo da terra.

Mas Jesus está pensando que, se começarem a chamá-lo de Cristo ou Messias os religiosos conservadores ficarão ainda mais furiosos. Por isso, manda que ninguém mais fale publicamente em *Mashiach, Meshiha* ou *Christos* – em hebraico, aramaico ou grego – nada que revele apressadamente a seus inimigos que ele está sendo visto como Salvador.

A partir deste momento, Jesus falará de sua morte abertamente, preparando os apóstolos para o que está por vir. E revela o que, aparentemente, é um outro lado de sua pregação apocalíptica. Diz o que já se ouviu antes de sua própria boca, que o fim dos tempos está próximo, mas acrescenta algo novo: que não veio apenas ensinar o amor.

– *Vocês pensam que eu vim estabelecer a paz sobre a terra? Não, eu lhes digo, vim dividir. Pois, de agora em diante, numa casa com cinco pessoas, estarão divididas três contra duas e duas contra três. Ficarão divididos pai contra filho e filho contra pai, mãe contra filha e filha contra mãe, sogra contra nora e nora contra sogra.*[154]

Ao mesmo tempo que Jesus radicaliza o discurso, o terror promovido por Herodes ao acorrentar e decapitar João Batista começa a ser usado para ameaçá-lo. Alguns fariseus se aproximam dele fingindo dar-lhe um conselho.

– *Vá embora daqui porque Herodes quer matá-lo!* – disseram, fazendo-se de amigos, ainda que se saiba que o mais provável é que fossem emissários do próprio Herodes, querendo que Jesus desaparecesse e evitasse mais uma execução que poderia ameaçar a popularidade do rei com o povo judeu.

Mas Jesus não tem tempo para hipocrisias.

– *Vá dizer a essa raposa que eu expulso demônios e realizo curas hoje e amanhã, e que no terceiro dia terei consumado!* – Jesus, de novo, demonstra que não tem a menor dúvida de que sua morte é uma questão de tempo, talvez dias. – *Mas hoje, amanhã e depois de amanhã devo prosseguir meu caminho, pois não convém que um profeta morra fora de Jerusalém.*[155]

Sabe-se muito bem como Jerusalém, para Jesus, mesmo sendo sagrada, é a cidade que mata seus profetas, profundamente contraindicada a um Messias nesses tempos corruptos. E os Evangelhos contarão que ele já decidiu que terá de ir até lá, e que sofrerá nas mãos dos sacerdotes que comandam o tribunal religioso que dará início a sua sentença de morte. Jesus diz que sua ressurreição acontecerá no terceiro dia. Mas tudo isso atordoa o espírito essencialmente humano e terreno de Pedro, sua pedra fundamental, que agora se nega a ouvir o inevitável.

– *Que Deus não permita... Isso jamais vai acontecer a você.*[156]

E Jesus mais uma vez demonstra que anda num momento de impaciência, tornando-se agressivo com seus apóstolos.

– *Saia da minha frente, Satanás! Você não compreende as coisas de Deus... só as coisas dos homens.* – A ira é contra Pedro, que alguns estudiosos entenderão ter assumido o papel do diabo neste momento, para mais uma vez tentar Jesus.

Mas logo em seguida o mestre sobe o tom da voz para falar à multidão. Sim, é praticamente impossível que ele tenha momentos a sós com seus apóstolos, e mais uma vez eles estão cercados.

– *Se alguém quiser vir atrás de mim, negue-se a si mesmo, pegue sua cruz e me siga!*

Jesus lhes diz que aquele que quiser apenas salvar a própria pele irá morrer. Mas aquele que morrer por amor a ele terá direito à vida eterna.

– *O que daria o homem pelo resgate de sua alma?*[157]

Será que Jesus já fala como salvador do mundo, antecipando o que muito em breve dirão os primeiros cristãos, prevendo que depois de morto na cruz irá descer ao inferno para resgatar as almas perdidas e salvar a humanidade?

Jesus está indignado, não admite que seus seguidores se envergonhem de suas palavras. E avisa que o Reino de Deus está perto de substituir o reino de César, muito mais cedo do que se imagina.

– *Estão de pé aqui algumas pessoas que não sentirão o gosto da morte até que vejam que o Reino de Deus chegou com seu poder!*

26 | UM ROSTO BRILHANTE E UM ENCONTRO IMPROVÁVEL NO ALTO DA MONTANHA

A hora de sua morte está chegando e Jesus não tem mais tempo a perder. Seis dias depois de anunciar que irá morrer e voltar à vida, chamou três apóstolos para subir a montanha com ele. Os três escolhidos – Pedro, João e Tiago – veem o rosto de Jesus brilhar como se fosse o próprio sol. Suas roupas ficam completamente brancas, e também brilhantes. Depois disso, pelo que contarão, surgem duas figuras históricas que os judeus acreditam serem próximas de Deus e capazes de comunicar ao povo as vontades divinas: os profetas Moisés e Elias, que fez mortos ressuscitarem e que subiu aos céus no meio de um redemoinho, levado numa carruagem de fogo, com cavalos de fogo, deixando seu manto cair sobre as águas do rio Jordão, justamente o lugar onde Jesus apareceu para o mundo e foi batizado.[158]

Não é à toa que muitas vezes comparam Jesus a Elias. Mas Jesus, que também subirá aos céus e não terá como destino a morte, caso de Moisés, não é mais visto apenas como profeta. É o Cristo, conversando com dois

PETER PAUL RUBENS
TRANSFIGURAÇÃO DE CRISTO (1605)
Museu de Belas-Artes de Nancy, França

profetas de enorme grandeza, dois humanos que serão para sempre vistos como quase divinos, ou, pelo menos, como escolhidos por Deus.

O que nos será contado é que Jesus, Elias e Moisés conversaram, sem nos dizer o que exatamente cada um disse no alto da montanha. Foi quando Pedro os interrompeu, com uma de suas ideias humanas, mostrando-se perdido diante daquele acontecimento mágico, sugerindo que construíssem três tendas, talvez pensando nas tendas que os judeus usam na festa de tabernáculos, quando precisam dormir nos arredores do Templo, em Jerusalém, uma tenda para cada um dos interlocutores daquela conversa iluminada, como se fosse uma *sukot*.

Mas que ideia fora de hora, são Pedro... logo agora?

Os Evangelhos explicarão essa leve inconveniência apostólica com o medo que tomou conta dos três escolhidos para subir a montanha diante do que será eternizado como a *transfiguração de Jesus*, e, em seguida, o surgimento dos profetas de quem não se teve notícia por muitos séculos.

A intervenção de Pedro vem justamente na hora em que Deus decide mandar uma nova confirmação, um novo sinal, falando pela segunda vez sobre sua predileção por Jesus. A voz, pelo que nos contarão, vem de dentro de uma nuvem que desceu fazendo sombra sobre todos eles.

– *Esse é o meu filho amado... ouçam ele!* [159]

As palavras se parecem muito com aquelas que disseram ter vindo também do céu no momento em que uma pomba voou sobre Jesus no dia de seu batismo no Jordão: *Tu és meu filho amado!*

O ambiente bíblico está mais que propício: a história que começou no Jordão, lugar tão profundamente associado a Elias, chega agora a um de seus momentos mais simbólicos no alto de uma montanha, cenário da teofania de Moisés. E Jesus, aquele que veio fazer a Nova Aliança de Deus com seu povo escolhido, parece ter a bênção de Elias, de Moisés e de Deus, que, com sua voz que imaginamos profunda, ecoando pela montanha, mais uma vez declara estar diante de seu filho preferido, aquele que muito em breve morrerá para salvar os outros filhos do Criador.

27 | O DESTINO, FINALMENTE, É JERUSALÉM, E O CAMINHO ESTÁ CHEIO DE PEDRAS

Jesus passou aproximadamente três anos evitando pisar o chão sagrado e sujo de Jerusalém. Sua primeira aparição no rio Jordão, onde conviveu com judeus cansados da corrupção material e espiritual estabelecida por aqueles que mandam no Templo, a provável influência do pensamento de João Batista... Tudo isso o afastou da terra onde vivem fariseus, anciãos, escribas e sacerdotes tementes aos romanos. Instituiu-se ali um sistema de dominação baseado em favores e delações, que perpetua ao mesmo tempo o poder de César, para escravizar o povo e arrancar seus dinheiros, e o poder do sumo sacerdote e seus asseclas, para escravizar as almas e arrancar seus couros, além de cobrar-lhes dízimos, bois, cabritos, pombos, cordeiros, sempre machos e sem deficiências físicas, para sangrarem sobre suas pedras sagradas e servirem também para aumentar os tesouros dourados guardados no meio delas.

Mesmo com tudo isso, era inevitável que Jesus um dia decidisse enfrentar aquilo que despreza para pregar em Jerusalém. E ele está vindo das terras baixas da Galileia, do norte para o sul, subindo as montanhas, com uma multidão de peregrinos a segui-lo. Quer chegar a tempo para a Páscoa. Mas vai incomodado. Já pressente que será traído por um apóstolo, e,

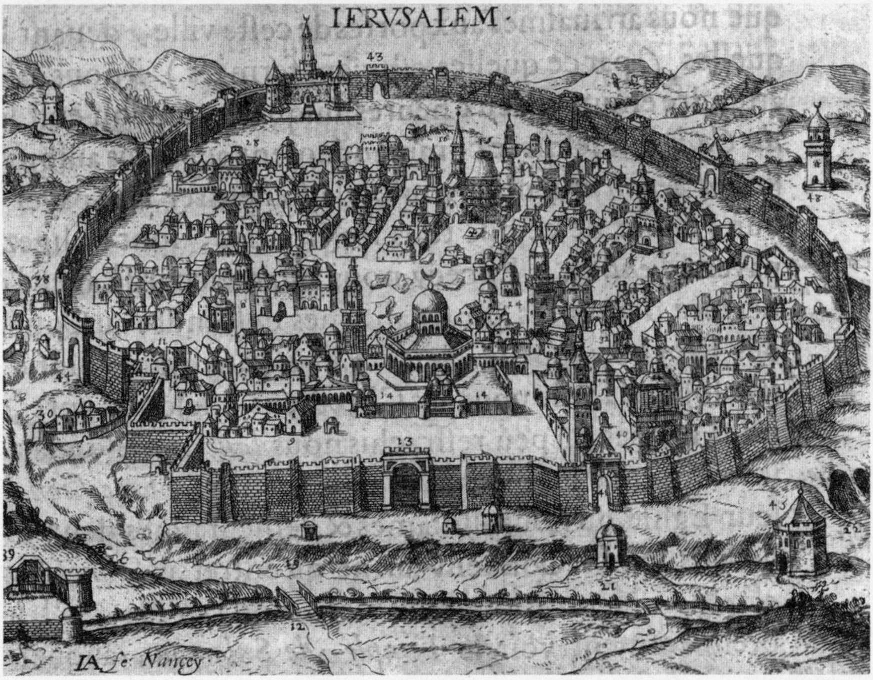

JERUSALÉM
Beauvau, Henri de. Relation journalière du voyage du Levant. *Nancy: Jacob Garnish, 1615.*

além disso, não tem como não ver que há intrigas inaceitáveis entre eles. Está antevendo quase tudo o que vai lhe acontecer nos próximos dias.

– *O que é que vocês estavam discutindo no caminho?* – Jesus pergunta, claramente incomodado.[160]

Os apóstolos devem estar envergonhados, talvez surpresos com a pergunta, pois ficam em silêncio. Mas sabem muito bem que o tema da discussão era desprezível, quase ridículo para a posição que ocupam: qual dos apóstolos seria o maior, o mais importante. E Jesus condena furiosamente a atitude mesquinha.

– *Quem quiser ser o primeiro será o último de todos, e o servente de todos.*[161]

Quer dar-lhes uma belíssima lição de humildade, com a impaciência que vem se tornando comum.

– *Se sua mão fizer você tropeçar... corte sua mão! Melhor entrar para a vida mutilado do que ter duas mãos e ir para o inferno.*

E ele diz o mesmo sobre os pés e sobre os olhos. Se fizerem você tropeçar, arranque-os, ou irão para o inferno, onde os vermes nunca morrem, onde o fogo nunca se apaga.

Um seguidor se aproxima para questioná-lo sobre a vida que poderá ter após a morte.

– *Meu bom rabino, o que devo fazer para merecer a vida eterna?*[162]

– *Por que você me chama de bom?* – Jesus se incomoda. – *Ninguém além de Deus é bom.* – E faz um resumo, lista apenas os mandamentos que considera mais importantes. – *Você não deve matar, não deve cometer adultério, não deve roubar, não deve dar testemunhos falsos, não deve cobiçar as coisas dos outros.*

Jesus não fala em nenhum dos cinco primeiros mandamentos apresentados por Moisés. Omite aquele que fala sobre respeito aos pais, mais uma vez mostrando uma relação complicada com as questões familiares. Omite também os mandamentos que falam de regras que deixarão de ser importantes aos cristãos, como não dizer o nome de Deus a troco de nada, não adorar ídolos e respeitar o sábado, o dia que deve ser guardado a Deus, e que mais tarde, entre outros motivos, para diferenciar o cristianismo do judaísmo, será trocado pelo domingo.

Mas Jesus também fará um acréscimo importante à lei de Moisés, algo que mostra mais uma vez como ele e os essênios pensam de maneira parecida, dizendo que os ricos terão enorme dificuldade para entrar no Reino dos Céus.

Ao descobrir que um certo homem é rico, Jesus lhe dirá que uma única coisa lhe falta para conseguir a vida eterna.

– *Venda tudo o que você tem... Dê o dinheiro para os pobres e você terá tesouros no céu!*

O ensinamento será seguido pelos primeiros cristãos, mas esquecido com o passar dos anos, quando ricos forem muito bem aceitos nas comunidades cristãs. A caridade contida na lição ao homem rico, essa, sim, permanecerá como um dos propósitos mais importantes de muitas Igrejas. Jesus, enfim, deixará claro mais uma vez por que não mencionou o mandamento que diz para honrar pai e mãe, pois está justamente dizendo que é preciso abandonar pai, mãe, crianças, irmãos e irmãs para segui-lo e só assim receber tudo em quantidades cem vezes maiores na *era da vida eterna que está chegando.*[163]

Antes que a vida eterna seja possível, no entanto, o Cordeiro de Deus ainda precisa ser sacrificado, e, depois de entregar seu sangue e seu corpo aos terríveis romanos, precisará descer *ad inferos* para resgatar as almas sequestradas pelo diabo, como se ele próprio fosse o pagamento do resgate, pois é isso que ele mesmo está dando a entender, e é isso que dirão alguns dos primeiros teóricos cristãos acreditando que o espírito de Jesus saiu da cruz para o inferno antes de subir ao céu.[164]

Acima de tudo, é preciso seguir a caminhada e chegar a Jerusalém.

Mas como é possível que logo nessa hora os apóstolos resolvam expor suas piores vaidades? Logo agora que Jesus está perto de cumprir sua grande missão, os homens em quem ele mais confia resolvem discutir novamente quem é mais importante e quem se sentará ao lado do mestre no Reino de Deus.

– *Mestre, queremos que você nos faça exatamente o que estamos lhe pedindo.* – Os Evangelhos não esclarecerão se foi João ou Tiago quem cometeu essa ousadia, mas está claro que um fala em nome dos dois irmãos.[165]

– *O que vocês desejam que eu faça por vocês?*

– *Garanta-nos que, em sua glória, vamos nos sentar um à sua direita, outro à sua esquerda.*

Quem soubesse o que vai acontecer nos próximos dias poderia estranhar, pensando que os filhos de Zebedeu querem ser crucificados ao lado de Jesus, mas estes lugares caberão a dois revoltosos, eternizados pela tradição como se fossem meros ladrões. E o que os dois apóstolos estão querendo é reservar um lugar no céu ao lado daquele a quem chamam de Cristo, o salvador do mundo, filho de Deus.

Mas onde ficaria Pedro? O que seria de Tiago, aquele a quem chamam de irmão de Jesus? E Judas, também não desejará um lugar de honra depois de cumprir a missão desagradabilíssima de entregar Jesus para garantir que se cumpra o plano da salvação?

Não, Judas está provavelmente pensando no dinheiro que vai receber, sem imaginar a culpa que o atormentará. Será para sempre a escória da escória.

HEINRICH HOFMANN
CRISTO E O JOVEM RICO (1889)
Igreja de Riverside, Estados Unidos

E Jesus não vai discutir hierarquias num momento desses, mais ainda quando pensa que os apóstolos estão de novo disputando aquilo que não lhes pertence.

– *Sentar à minha direita ou à minha esquerda não é algo que dependa de mim... é para aqueles a quem esses lugares foram destinados.*

Os outros apóstolos se incomodam profundamente com Tiago e João. Mais tarde, cristãos interpretarão um dos Evangelhos e concluirão, certamente sem provas, que João terá sido o apóstolo preferido a quem Jesus, já pregado na cruz, confiará a missão de cuidar de sua mãe. Agora, no entanto, isso não tem a menor importância para Jesus.

Com mais da metade da viagem cumprida, quando Jesus e a multidão que veio com ele da Galileia se aproximam de Jericó, aparece-lhes um mendigo, o cego Bartimeu.

– *Jesus, filho de Davi, tenha pena de mim!* [166]

Muitos disseram ao cego para calar a boca, mas Jesus mandou chamá-lo.

– *O que você quer que eu faça?*

– *Meu rabino... que eu possa voltar a enxergar.*

Imediatamente, Bartimeu começou a enxergar.

Em seguida, Jesus está falando para seus seguidores quando vê, no alto de uma árvore, um homem que todos ali consideram detestável: Zaqueu trabalha para os romanos e, mais do que isso, é chefe dos cobradores de impostos em sua região, um terrível traidor entre os judeus.

Zaqueu é baixo e subiu numa figueira para conseguir ver a pregação. E Jesus praticamente dá uma ordem ao pecador, quer estar perto dele.

– *Zaqueu, desça depressa... pois eu preciso ficar na sua casa.*

Zaqueu desceu imediatamente e o pregador foi à casa do homem a quem todos ali odiavam.

O episódio será visto como um sinal de que Jesus não se importa com o que os outros pensam de uma pessoa, pois acolhe até mesmo aqueles que são marginalizados pela sociedade. Conforme dirá um dia o papa Francisco, *o olhar de Jesus ultrapassa os defeitos e vê a pessoa, não se detém no mal do passado, mas entrevê o bem no futuro.*[167]

A multidão que o acompanha, no entanto, não perdoa o menor deslize. Já tem gente murmurando, dizendo que Jesus foi dormir na casa de um maldito cobrador de impostos.

E ele se defende.

– *Não mesmo! Eu dou a metade dos meus bens aos mendigos, Senhor; e se eu descubro que acusei alguém de alguma coisa falsa, eu devolvo quatro vezes mais.*[168]

As traduções mais fiéis aos originais dos Evangelhos em grego mostrarão que, apesar de algumas interpretações equivocadas, Zaqueu não está mudando de atitude nem prometendo deixar de ser injusto. Pelo contrário, ele diz a Jesus que *já* tem por hábito doar aos mendigos metade do que ganha, e que costuma recompensar aqueles a quem cobra por engano, impondo-se a mesma punição que a lei judaica impõe aos ladrões. Pelo menos é isso que ele diz ao pregador que irá passar a noite em sua casa.[169]

NICOLAS POUSSIN
O CEGO DE JERICÓ
(1650)
Museu do Louvre, França

Se o nome do pecador é de fato Zaqueu, será difícil afirmar. Parece haver um simbolismo em seu nome, pois *zakki*, em aramaico, é aquele que doa esmolas, e em hebraico, é um homem puro. Será que o autor do Evangelho de Lucas, o único que conta essa história, se permitiu um pouco de ficção, ou ao menos simbolismo, como preferirão alguns, ao dar esse nome ao homem que subiu na figueira? É bastante provável, estudiosos dirão.

Quando a história termina, Jesus já está na casa de Zaqueu.

– *Hoje a salvação veio a esta casa* – Jesus conclui, fazendo possivelmente um jogo de palavras como seu próprio nome. Pois *Yehoshua*, em hebraico, significa também salvação, a salvação que vem de Deus, a mesma que no futuro permitirá ao gênio Leonardo da Vinci nomear sua pintura do rosto de Jesus como *Salvator Mundi*.

A parábola que Jesus conta agora, sobre o homem poderoso que recompensa os escravos honestos, provavelmente querendo falar de si mesmo, e da relação com os fiéis, seria apenas mais uma lição do mestre, possivelmente para complementar os ensinamentos dados a Zaqueu e outros seguidores nesta pausa da longa viagem. Não fossem as palavras estranhas que Jesus dirá, na parte final da parábola...

– *A esses meus inimigos, esses que não quiseram que eu reinasse sobre eles, tragam eles para cá e os degolem na minha presença.*[170]

Faz sentido essa frase que estará no Evangelho de Lucas?

Jesus terá sido mal interpretado, mal traduzido?

As perguntas se aplicarão, essas e todas as outras que se farão, pois parecerá inconcebível que o homem que prega o amor até aos inimigos agora possa estar defendendo que eles sejam mortos, e ainda por cima diga que Deus desejará vê-los sendo degolados em sua frente. Será essa a punição merecida por aqueles que não aceitarem seu reino, aqueles que não se tornarem cristãos? Ou tudo não passa de uma metáfora exagerada pelo nervosismo de quem sabe que está prestes a ser, ele próprio, sentenciado com a morte?

Estudiosos buscarão diversos caminhos para explicar a frase, mas dificilmente alguém conseguirá transformá-la numa lição de amor. Muitos religiosos cristãos apenas evitarão falar sobre o assunto. Cristãos com pés fincados no chão, olhando para o Jesus histórico, verão na frase um sinal necessário de liderança, passando longe da visão excessivamente romântica de outros. Críticos do cristianismo verão ali justificativa suficiente para desqualificar a mensagem de amor apresentada por Jesus.

Tradutores que forem aos textos originais em grego, como o fará Frederico Lourenço em sua versão portuguesa da Bíblia, concluirão que essa terá sido a única vez que o verbo *degolar* aparecerá nos Evangelhos.[171] Mas o fato é que ninguém falará muito sobre essa pregação de violência.

Algumas coisas, até mesmo quando ditas pelo homem mais amado da História, parecerão muito bem guardadas nos armários do esquecimento.

INTERLÚDIO

SEGUIDOR DE HIERONYMUS BOSCH
DESCIDA DE CRISTO AO INFERNO (S.D.)
Coleção privada

28 | DIÁLOGOS SECRETOS DOS APÓSTOLOS

A imaginação agora precisa voar ainda mais alto. Estamos no interlúdio. Como o próprio nome diz, é um momento mais escuro, entre luzes que se apagam e se acendem. É o momento em que podemos sair da trajetória que parece natural ao nosso protagonista para refletir sobre o que está acontecendo em sua vida privada com os apóstolos, como neste momento em que eles estão à sua espera no Monte das Oliveiras.

– *Somos abençoados acima de toda a humanidade na terra porque o Salvador revelou essas coisas a nós... e nós recebemos o Pleroma e toda a completude* – um dos apóstolos diz, numa referência a algo que não estará nos Evangelhos: o conhecimento de uma ordem cósmica muito complexa, formada por dimensões paralelas, instâncias etéreas chamadas *aeons,* e por um lugar de plenitude de luz e conhecimento, o *Pleroma,* aonde todos esperam chegar.

O interlúdio na vida do homem mais amado da História acontece nesses momentos em que ele está sozinho com seus discípulos. São encontros secretos. Apenas os interlocutores de Jesus poderão contá-los a alguém, que talvez os escreverá, ou os contará a um escritor que, dependendo da importância que lhe for dada, produzirá escrituras, testamentos ou mesmo Evangelhos. E Maria Madalena quer mesmo saber como esse conhecimento todo será transmitido aos outros seres humanos.

– *Onde vocês irão guardar todas essas questões que vocês perguntam ao filho do Homem?* – Madalena questiona os outros discípulos, mas é Jesus quem responde.

– *Irmã, ninguém pode perguntar sobre essas coisas a menos que tenha um lugar para guardá-las em seu coração.*

– *Mestre* – Mateus intervém –, *eu quero ver aquele lugar de vida, onde não há maldade e apenas pura luz.*

– *Todos aqueles que tiverem autoconhecimento terão visto a si mesmos... Então essa pessoa terá se assemelhado àquele lugar de bondade* – Jesus ensina, num dos trechos dos pergaminhos que serão escondidos para não arder nas fogueiras.[172]

Talvez, como muitos dirão, diálogos assim jamais tenham acontecido. Talvez venham a ser verdades reconhecidas apenas pelos seguidores de algumas seitas divergentes, como aquelas difundidas por cristãos que se definirão como gnósticos, possuidores de conhecimento, não no sentido prático ou matemático da palavra, mas um autoconhecimento, como aquele que é buscado pela filosofia.[173] Diga-se antes que seja tarde, *gnósticos* nada terão a ver com *agnósticos*, pessoas assumidamente *sem* conhecimento religioso.

– *Eu já não lhe disse que, como um trovão e um relâmpago, o que é bom será levado para a luz?* – Estas terão sido palavras de Jesus, pouco antes de lhe aparecerem dois espíritos sem corpo, que chegaram acompanhados de uma luz muito forte.

– *Deem roupas a eles!* [174]

Jesus deu a ordem: era preciso oferecer corpos que pudessem ser habitados por aqueles espíritos enquanto estivessem na terra.

Antes e depois do surgimento dos quatro Evangelhos aceitos pela tradição cristã predominante, serão escritos inúmeros pergaminhos que viajarão por outras esferas, repletos de misticismo, como *O diálogo do Salvador*, que será resgatado de seu esconderijo nos anos 1940, em Nag Hammadi, no norte do Egito, onde estará guardado dentro de um jarro.

Judas Tomé resume o desejo dos seguidores.

– *Eu realmente quero saber sobre tudo... Diga-me, mestre, qual é o começo do caminho?* [175]

– *Amor e bondade. Se qualquer um dos dois existisse entre os governantes, a maldade jamais teria existido.* – Esta terá sido a resposta de Jesus, usando uma visão mística segundo a qual os governantes são os Sete Arcontes e outros poderes cósmicos.

FÓLIO 32 DO CÓDICE II, COM O FINAL DO APÓCRIFO DE JOÃO E A ABERTURA DO EVANGELHO DE TOMÁS
Biblioteca de Nag Hammadi
Museu Copta, Egito

Judas Tomé pede detalhes.

– *Queremos saber que tipo de roupa devemos usar quando abandonarmos a corrupção da carne.* – Ou seja, nos dias em que morressem.

– *Você será abençoado quando rasgar suas roupas. Pois não há nada de mais em abrir mão do que é externo* – Jesus ensina.[176]

Num outro pergaminho secreto, *O Evangelho de Tomé*, Jesus diz aos discípulos que aquele que descobrir a interpretação para suas palavras viverá eternamente.

– *Se seus líderes disserem "olhe, o reino está no céu", então os pássaros chegarão lá antes de você. Se eles disserem "o reino está no mar", então os peixes chegarão antes de você. Em vez disso, o reino está dentro de você... e está fora de você.* [177]

Esse pensamento filosófico atribuído a Jesus confrontará diretamente a ideia de Reino de Deus eternizada pelo pensamento predominante. E será uma lembrança de que entre os primeiros cristãos haverá quem veja no Cristo não necessariamente um filho de Deus que nasceu para redimir a humanidade de seus pecados, mas um guia espiritual iluminado, diretamente associado ao Espírito de Deus, e que terá descido à terra para mostrar o caminho até a eternidade.

Jesus dirá que encontrou no mundo pessoas embriagadas, e nenhuma delas com sede.

– *E meu coração ficou aflito pelos seres humanos, porque eles são cegos em seus corações e não têm visão... porque eles vieram a este mundo vazios, e o deixarão vazios.*[178]

No livro *Pistis Sophia*, a *Sabedoria da fé*, nos será ensinado que Jesus existe antes mesmo da eternidade. E ele finalmente revela a seus após-

ⲛ̄ⲧⲉⲓⲙⲏⲓⲛⲉ ⲁⲩⲱ ⲛⲁⲓ ⲁⲩⲧⲁⲁⲩ ⲛⲁϥ
ϩⲛ̄ ⲟⲩⲙⲩⲥⲧⲏⲣⲓⲟⲛ ⲁⲩⲱ ϩⲛ̄ⲧⲟⲩⲛⲟⲩ
ⲁϥⲣ̄ ⲁⲧⲟⲩⲱⲛϩ ⲉⲃⲟⲗ ⲙ̄ⲡⲉϥⲙ̄ⲧⲟ ⲉⲃⲟⲗ
ⲁⲩⲱ ⲁϥⲉⲓ ϣⲁ ⲛⲉϥϣⲃⲣ̄ⲙⲁⲑⲏⲧⲏⲥ ⲁϥⲧⲉ
ⲟⲩⲱ ⲉⲣⲟⲟⲩ ⲛ̄ⲛⲉⲛⲧⲁ ⲡⲥⲱⲣ̄ ϫⲟⲟⲩ ⲛⲁϥ
ⲓ̄ⲥ̄ ⲡⲉⲭ̄ⲣ̄ⲥ̄ ϩⲁⲙⲏⲛ

ⲕⲁⲧⲁ ⲓ̈ⲱϩⲁⲛⲛⲏⲛ
ⲛ̄
ⲁⲡⲟⲕⲣⲩⲫⲟⲛ

ⲛⲁⲉⲓ ⲛⲉ ⲛ̄ϣⲁϫⲉ ⲉⲑⲏⲡ ⲉⲛⲧⲁ ⲓ̄ⲥ̄ ⲉⲧⲟⲛϩ̄
ϫⲟⲟⲩ ⲁⲩⲱ ⲁϥⲥϩⲁⲓ̈ⲥⲟⲩ ⲛ̄ϭⲓ ⲇⲓⲇⲩⲙⲟⲥ
ⲓ̈ⲟⲩⲇⲁⲥ ⲑⲱⲙⲁⲥ ⲁⲩⲱ ⲡⲉϫⲁϥ ϫⲉ ⲡⲉ
ⲧⲁϩⲉ ⲉⲑⲉⲣⲙⲏⲛⲉⲓⲁ ⲛ̄ⲛⲉⲉⲓϣⲁϫⲉ ϥⲛⲁ
ϫⲓ ϯⲡⲉ ⲁⲛ ⲙ̄ⲡⲙⲟⲩ · ⲡⲉϫⲉ ⲓ̄ⲥ̄ ⲙ̄ⲛ̄ⲧⲣⲉϥ
ⲗⲟ ⲛ̄ϭⲓ ⲡⲉⲧϣⲓⲛⲉ ⲉϥϣⲓⲛⲉ ϣⲁⲛⲧⲉϥ
ϭⲓⲛⲉ ⲁⲩⲱ ϩⲟⲧⲁⲛ ⲉϥϣⲁⲛϭⲓⲛⲉ ϥⲛⲁ
ϣⲧⲣ̄ⲧⲣ̄ ⲁⲩⲱ ⲉϥϣⲁⲛϣⲧⲟⲣⲧⲣ̄ ϥⲛⲁⲣ̄
ϣⲡⲏⲣⲉ ⲁⲩⲱ ϥⲛⲁⲣ̄
ⲣ̄ⲣⲟ ⲉϫⲙ̄ ⲡⲧⲏⲣϥ̄ ⲡⲉϫⲉ ⲓ̄ⲥ̄ ϫⲉ ⲉⲩϣⲁ
ϫⲟⲟⲥ ⲛⲏⲧⲛ̄ ⲛ̄ϭⲓ ⲛⲉⲧⲥⲱⲕ ϩⲏⲧ ⲧⲏⲩⲧⲛ̄
ϫⲉ ⲉⲓⲥ ϩⲏⲏⲧⲉ ⲉⲥⲧ ⲙⲛ̄ⲧⲉⲣⲟ ϩⲛ̄ ⲧⲡⲉ ⲉ
ⲉⲓⲉ ⲛ̄ϩⲁⲗⲏⲧ ⲛⲁⲣ̄ϣⲟⲣⲡ ⲉⲣⲱⲧⲛ̄ ⲛ̄ⲧⲉ
ⲧⲡⲉ ⲉⲩϣⲁⲛϫⲟⲟⲥ ⲛⲏⲧⲛ̄ ϫⲉ ⲥϩⲛ̄ ⲑⲁ

tolos que seu corpo é feito apenas de luz: *a luz era de vários tipos e de vários padrões, de baixo para cima, com cada um dos raios mais impressionante que o próximo... numa glória imensa de luz, das profundezas da terra, por tudo, até as alturas no céu.*

Numa outra passagem, nos será contado que *Jesus ascendeu e voou para as alturas, brilhando impressionantemente, com uma luz imensurável.*

A luz de Jesus é tão forte que impede os discípulos de o enxergarem.

– *Senhor, se for você, remova sua luz gloriosa para que possamos ficar de pé, porque nossos olhos estão cegos.*[179]

Jesus será apresentado, muitas vezes, como um espírito encarnado num corpo que, depois de viver um *ciclo material* de três anos (ou seja, como se só tivesse existido sobre a terra no tempo de sua pregação), viverá outra era em forma de luz, em outras dimensões distantes desta em que vivemos na terra.

– *Eu me aproximei de uma habitação corpórea, expulsei aquele que estava ali dentro antes e entrei* – serão palavras atribuídas a Jesus. – *A multidão inteira de arcontes ficou perturbada... Eu não os desafiei, e me tornei o ungido* [o Cristo], *mas também não me revelei a eles no amor que emana de mim.*[180]

E o Jesus dos gnósticos revela segredos que só os iniciados entendem.

– *Eu disse a vocês desde o começo que vocês não pertencem a este mundo, assim como eu também não pertenço. Porque todos os seres que estão neste mundo receberam suas almas dos poderes dos arcontes e dos aeons.*[181]

Em seguida, Jesus volta a falar aquilo que todo cristão entenderá como verdadeiro.

– *Mas o poder que está em vocês vem de mim, e suas almas pertencem às alturas.*[182]

No pergaminho *Atos de João*, será dito que Jesus habita em diversos corpos diferentes. Será por isso que nunca saberemos exatamente como é seu rosto?

– *Você não está enxergando bem, irmão Tiago. Não está vendo ali aquele homem bonito, justo e alegre?* – João terá perguntado a Tiago para logo abrir sua explicação a outros ouvintes. – *Ele apareceu para mim calvo e com uma barba grande e grossa, mas* [apareceu] *a Tiago como um jovem que tinha a barba fina apenas começando a crescer. Eu tentei vê-lo como de fato era... mas às vezes ele me aparecia como um homem pequeno sem muita beleza... e depois como se estivesse olhando para o céu.*

Por fim, João explica o motivo para que cada um veja Jesus de uma maneira diferente.

– Às vezes, quando eu quis tocá-lo, eu encontrei um corpo sólido e material, mas em outras vezes, quando o senti, sua substância era imaterial e incorpórea... como se simplesmente não existisse.

Atos de João seguirá contando que Jesus dançou com os apóstolos. Uma cena muito bonita de se imaginar, mesmo que se decida depois acreditar apenas naquilo em que já se acreditava. Os pergaminhos proibidos serão queimados e colocados na categoria de doenças contagiosas, como se apenas o fato de conhecê-los pudesse levar o cristão ao inferno. Mas serão vistos também, por inúmeros estudiosos, como documentos importantes, que revelarão como eram diferentes os pensamentos dos primeiros cristãos, antes que um grupo de patriarcas determinasse o que era blasfêmia e o que era a verdade. Entre essas falas e esses pensamentos atribuídos a Jesus, há inúmeros momentos emocionantes, que não incomodariam nenhum discípulo de Cristo, como essas palavras de Maria Madalena.

– Mestre, você é incrível e maravilhoso... e uma chama devastadora para aqueles que não o conhecem.

DE DOMINGO A QUARTA-FEIRA

JERUSALÉM

PEDRO ORRENTE
ENTRADA EM JERUSALÉM (C. 1620)
Museu Hermitage, Rússia

29 | O CORDEIRO DE DEUS E O JUMENTO EMPRESTADO

A semana de Páscoa está começando e o primeiro judeu chegou à entrada do Templo trazendo sua oferenda. Veio para o ritual que se convencionou chamar de *comunhão*. É a comunhão judaica, diferente daquela que será eternizada pelos cristãos. Se realmente está cumprindo ao pé da letra o que foi determinado pelo Levítico, o antiquíssimo código de leis que só os pecadores não seguem, o primeiro judeu veio trazendo um novilho, com certeza macho e sem defeito físico que o estrague, pois a lei assim o exige, e o apresentou aos sacerdotes no lugar determinado para o recebimento das oferendas, e colocou sua mão esquerda sobre a cabeça do animal.

Agora, depois de aceitar o animal como digno do Criador, os sacerdotes começam a esquartejá-lo, o que não quer dizer outra coisa que partir seu corpo em quatro, ou mais que isso, pois a faca é afiada, separando-lhe as melhores carnes para que sejam consumidas pelos próprios religiosos como um gesto sagrado no altar, separando as carnes menos saborosas para que sejam repartidas entre o fiel e quem mais ele desejar, e guardando as partes vitais – a cabeça, o coração, as vísceras – e também as patas, para depois de lavá-las com água oferecê-las a Deus.

GERARD JOLLAIN
PESSACH
Bíblia Sagrada, Paris, 1670

O sangue foi derramado por todos os lados, inclusive sobre o altar, onde a lenha vai fazer tudo queimar até o fim dessa semana de sacrifícios, onde também derramou-se a gordura, e o que pertence a Deus está ardendo, completando o ritual que existia de maneira parecida em Canaã antes da chegada do povo de Abraão, pois também Baal, o deus maior daqueles que antes habitavam esta terra e que emprestaram muito de sua religião ao judaísmo, gostava de carnes.[183]

Os sacerdotes estão garantindo ao fiel que seus pecados foram perdoados, e que ele poderá dormir noites tranquilas até a próxima grande celebração religiosa, que pela ordem será a *Shavuot*, a Festa da Colheita, também chamada Pentecostes, quando, mais uma vez, cada judeu deverá trazer um animal para amansar a fúria de Deus e a fome dos sacerdotes.

Se não tiver novilho, nem cordeiro, nem muito dinheiro, a família poderá trazer um pombo, muitas vezes comprado a baixo custo na entrada do Templo para logo em seguida ver o animal ter seu pescoço quebrado nas mãos de um sacerdote e, depois de perder o papo e as penas, ser lançado num canto menos nobre do altar, reservado às cinzas gordurosas, agradando talvez um pouco menos ao seu deus, mas ainda assim expiando os pecados de quem o trouxe.

O cheiro do sangue, das vísceras, das carnes e da gordura de novilhos, e de cordeiros, e de aves, o cheiro da morte que agrada ao Altíssimo, essa mistura de vapores de sangue com carnes assadas, se espalha pelo altar dos sacrifícios e vai percorrendo o pátio interno do Templo. Atiça os narizes da multidão que faz fila para o ato de comunhão, inebriando vendedores e cambistas que trocam dinheiros de César por dinheiros judeus, pois é só o que se permite nessa grande área conhecida como Pátio dos Gentios, onde até não judeus podem entrar, pois não há aqui nada que possam dessacralizar com suas meras presenças impuras, desde que saibam que se entrarem nas áreas judaicas pagarão com as próprias vidas.

Até que o cheiro da morte atravessa o muro que um dia afinal será só o que restará desta casa de Deus, e depois de empestear o monte Moriá segue em direção ao vale, passa pelas oliveiras, e já muito mais brando se confunde com o cheiro de azeite na prensa onde se colocam as azeitonas, por isso mesmo chamada *getsêmani*, ao pé do Monte das Oliveiras, onde o profeta Zacarias previu que aconteceria a batalha final do apocalipse, onde Deus deveria aparecer para combater as forças do mal, onde Jesus está agora esperando por dois de seus discípulos.[184]

Cumprindo as ordens do mestre, os discípulos designados foram ao vilarejo que estava mais próximo deles para buscar um jumento e fazer com que as profecias se cumpram assim que o Cristo colocar seus pés, ou mais corretamente, assim que o jumento que o conduz colocar as patas em Jerusalém.

Se desde o momento que se supõe ter sido o que Deus criou Adão e Eva... se desde o Gênesis os reis montaram em jumentos, o Messias também deverá entrar na cidade sagrada sentado num animal que simboliza ao mesmo tempo grandeza e humildade. Aliás, o momento foi previsto pelo mesmo profeta Zacarias quando ele falou com muita certeza que *teu rei vem a ti... justo e vitorioso... montado num jumento*, antecipando os passos que Jesus dará agora, ou talvez tenha sido Jesus que resolveu cumprir a profecia, quem poderá saber, mas o que se sabe, o que os Evangelhos dirão, é que os apóstolos justificarão o empréstimo de um jumento que não lhes pertence dizendo que *o Senhor precisa dele, e logo o mandará de volta*, levando o animal até aquele que se tornará rei. E assim, da mesma forma como Salomão montou num jumento para ser ungido com os óleos sagrados e ascender ao trono de seu pai, Jesus, de quem dirão também *herdeiro* ou mesmo *filho de Davi*, ou seja, um novo Salomão, agora monta sobre as vestes apostólicas que foram colocadas no lombo do animal para protegê-lo da dureza e do suor daquele dorso.[185]

Aquele a quem muitos desejam coroar, uns com louros, outros com espinhos, uns com devoção, outros com ironia, igualmente dizendo-lhe *rei dos judeus*, o pregador que andou evitando Jerusalém, montado agora em tanta simbologia, não deixará ninguém duvidar de que está mesmo querendo ser aclamado rei, cumprindo as profecias, coisa que até os papas da Igreja que farão em seu nome mais tarde afirmarão.[186] E para isso Jesus decide enfrentar o que sempre lhe deu enjoos, aquela gente corrupta, atravessando o pequeno vale em cima do asno, subindo o mesmo monte Moriá onde Abraão quase sacrificou Isaac, não fosse Deus intervir.

Alguém vê Jesus chorando ao ver Jerusalém do alto, lamentando o destino triste que os homens estão impondo à cidade santa.

ENRIQUE SIMONET
JESUS CHORA POR
JERUSALÉM (1882)
Museu do Prado, Espanha

– Ah... se neste dia você também conhecesse a mensagem de paz! Agora, porém, isso está escondido aos seus olhos.[187]

E ao passar pelos portões da cidade cercada de muros, Jesus vê o povo em festa a recebê-lo com ramos, espalhando suas roupas pelo caminho para que ele passe por cima, num gesto de coroação que será repetido pelos próximos milênios no dia que se convencionará chamar *Domingo de Ramos*, pois se supõe que hoje é domingo, e aqueles que seguem o Salvador estão agora dizendo *hosana*, a salvação que está chegando sobre o jumento, *hosana nas alturas*, repetirão os cristãos relembrando o grande momento que se inicia.

De fato, ninguém poderá jamais negar que o que acontecer nos próximos dias será tão importante que fará desta semana a mais lembrada de todas na História humana, os dias que terão mudado tudo, acredite-se ou não na salvação que Jesus veio trazer com seu sacrifício, assumindo ele próprio o lugar do animal esquartejado, trocando o incêndio do altar pelo inferno da cruz, e assim tirando os pecados não de uma só pessoa, como se espera de um simples cordeiro, mas do mundo inteiro, pois coisa diferente não se poderia esperar do Cordeiro de Deus.

– *Quem é?* – pergunta um passante, assim como perguntarão outros pelo caminho, mostrando que Jesus ainda não é tão conhecido em Jerusalém. Ao que alguém mais bem informado prontamente responde:

– É o profeta Jesus, que vem de Nazaré na Galileia.[188]

O profeta Jesus avança pela cidade que, ele mesmo disse, mata seus profetas, onde ele escolheu terminar sua missão. E vai sentindo o cheiro ácido que vem do sangue, o cheiro da morte que se sentirá dentro e fora dos muros desta cidade até o fim de semana em que a Páscoa terminar. Mas, agora, enquanto cortam, queimam e comem os animais, os sacerdotes que mandam também no tribunal chamado Sinédrio andam interessados num outro sacrifício, o daquele que, ainda montado sobre um jumento, acaba de chegar à entrada do Pátio dos Gentios, o lugar confuso e barulhento onde todos se encontram a poucos passos do Templo.

30 | REFLEXÕES

Podemos imaginar Jesus entregando o jumento a um de seus discípulos antes de cruzar a grande muralha e entrar no pátio que conduz até a casa de Deus. Neste momento, o Evangelho de João contará sobre um encontro de Jesus com gregos à entrada do Templo, e ele terminará sua pregação se parecendo aos essênios, que chamam a si próprios de *filhos da luz* e aos inimigos de *filhos da escuridão*. Em outras palavras, Jesus está dizendo que o Messias, a luz, não será infinita, não entre os homens.

– *A luz ficará pouco tempo entre vocês... quem caminha na escuridão não sabe para onde vai... enquanto tiverem a luz, acreditem na luz para se tornarem filhos da luz!* [189]

Mas que ninguém espere grandes acontecimentos nesse primeiro dia, porque, pelo que nos contará o Evangelho de Marcos, depois da chegada festejada com palmas e gritos de *hosana*, Jesus entra quase anônimo na construção gigantesca comandada pelos saduceus e vigiada por seus guardas onipresentes. Olha para tudo como se estivesse entrando num império do mal, justamente quando devia, conforme sua expectativa, estar numa casa de respeito às coisas do céu.

JESUS ENTRA EM JERUSALÉM (SÉC. XIX)
Mosteiro de São João Bigorski, Macedônia do Norte

Como se planejasse seus próximos atos, Jesus apenas olha, pensando que o dia já vai tarde e que não é hora de começar discussão alguma. Sai. É provável que monte de novo no dorso do jumento para ir embora descansar no vilarejo de Betânia. Depois de uma boa dormida, sem dúvida, estará muito mais forte para enfrentar tudo o que imagina que tem pela frente.

31 | VIOLÊNCIA

No dia seguinte, ao recomeçar a caminhada, tomado de fome, Jesus tem praticamente uma miragem ao ver um pouco mais adiante uma figueira bonita e cheia de folhas. *Estará cheia de figos para matar minha fome*, deve ter pensado. Mas, ao se aproximar, não encontrou um único figo.

Algo não está bem.

Ao menos seu coração não está tranquilo, pois sua reação é impensada e não condiz com as demonstrações de paciência que veio dando pelo caminho. Jesus começa a maldizer a figueira infértil.

– *Que ninguém jamais coma do seu fruto!* [190]

Sem compreender a ira do mestre, alguém terá pensado: *Se não é tempo de figos, o que se pode fazer?* Mas sabemos também que os apóstolos não querem irritá-lo com questionamentos fora de hora. E o que se descobrirá em breve é que a figueira encontrou Jesus num dia de fúria, justamente quando ele cometerá uma série de atos violentos, os únicos de que teremos notícia até o fim de sua vida terrena.

Ao atravessar novamente os muros gigantes, entrando no Pátio dos Gentios, o pregador nazareno resolve colocar para fora todo o gosto amargo que vem guardando ao longo desses dois ou três anos em que andou pela Galileia. Está finalmente no lugar que os essênios gostariam de salvar da escuridão que saduceus e fariseus lhe impuseram, onde João Batista não se sentia à vontade, o Templo que guarda a Arca da Aliança, onde se acredita que Deus está mais presente do que em qualquer outro lugar, onde os sacerdotes cometem barbaridades em defesa de suas vidas banhadas a ouro e sangue alheio, onde o comércio corre solto, justamente o lugar ao qual ele se refere como *a casa de meu Pai* e que com certeza gostaria de ver simbolicamente *reconstruído*, ou, pelo menos, *purificado*, limpo de toda a corrupção.

Jesus se aproxima dos vendedores e começa a expulsá-los.

É possível imaginá-lo dizendo algo como *saiam da casa de meu Pai... vão ganhar seu dinheiro sujo em outro lugar*, ainda que ninguém esteja registrando suas primeiras palavras.

O pregador irritado expulsa também fiéis que estão comprando alguma coisa. Vieram aqui para rezar ou se desviar em comércio injusto? Jesus ainda derruba as mesas onde os cambistas recebem os dinheiros de César, proibidos por conterem imagens de idolatria em seus metais impuros. Os cambistas costumam trocar os denários romanos, *impuros*, com a face do imperador estampada, por valores equivalentes em *shekels*, que são moedas sem imagens de idolatria, aprovadas pelos sacerdotes, logo eles que em breve serão personagens de uma parábola de impurezas, chamados de arrendatários assassinos do vinhedo de Deus.

Aos olhos de Jesus, no entanto, tudo isso é parte de um grande projeto de deturpação das almas, exploração do povo onde o povo é mais vulnerável – em seu temor a Javé, o deus de Moisés, o mesmo a quem ele chama de Pai.

Jesus atira no chão também as cadeiras dos vendedores de aves. É provável que ainda se lembre que Maria e José compraram dois pombos numa das vezes em que ali estiveram com ele, quando menino. Mas ainda que sua mãe esteja agora por perto, como também está Maria Madalena, e os apóstolos, e outros discípulos, ninguém é capaz de pará-lo.

Jesus esbraveja.

Em palavras evangelistas, ensina.

– *Não está escrito? Minha casa será chamada casa de oração para todos os povos!* – Assim, conforme dirá o Evangelho de Marcos, terá dito

THEODOOR ROMBOUTS
CRISTO EXPULSA
OS COMERCIANTES
DO TEMPLO (1628-37)
*Centraal Museum,
Países Baixos*

Jesus, revoltado, citando as últimas palavras da profecia de Isaías, que sugerem que o Messias não será um salvador apenas para os judeus, mas, sim, o salvador do mundo.

– *Vocês fizeram deste lugar um covil de ladrões!* [191]

Podemos imaginar quanto João Batista se sentiria de alma lavada ao ouvir acusações tão pertinentes. É possível até que, se não o tivessem decapitado, estivesse agora ao lado de Jesus enfrentando a corrupção sem fim que tomou conta da religião, querendo revolução, ainda que somente espiritual.

Mesmo que pareça óbvio, Jesus não diz exatamente o porquê de estar atacando os comerciantes que trabalham em tal covil, um antro, em tradução que se faz sem rodeios. Mais tarde, ao interpretar esse momento conforme suas convicções, cristãos entenderão que Jesus está cancelando a lei judaica para estabelecer a fé em Cristo como primeira condição para se entrar no Reino de Deus prometido por ele. Cristãos poderosos, como o papa teólogo Bento XVI, verão na chamada *purificação do Templo*, pelo contrário, uma afirmação da lei dos profetas.

Ele está implementando a lei verdadeira, a lei divina de Israel, em oposição ao hábito que se tornou profundamente corrupto, que se tornou "lei", escreverá Bento XVI, pouco antes de abrir mão de seu papado.[192] E muitos estudiosos concordarão, dizendo que Jesus está enfurecido com a violação da santidade do Templo. Outros entenderão que ele perdeu a paciência com a exploração do povo, pois, ao trocar dinheiro de César por dinheiro judeu, os cambistas estão sempre cobrando taxas injustas, pensando apenas nos lucros de sacerdotes que vivem como reis, coisa que acontecerá também a muitos chefes cristãos, não nos esqueçamos, pois nem todos serão Franciscos.

E haverá ainda uma corrente que dirá que a violência de Jesus é prova de que ele é um agitador, *um revolucionário político com uma estampa apocalíptica*, ou ainda que faz parte do grupo de revoltosos conhecido como zelotas e que até agora esteve caminhando pela Galileia com a missão de *arrebanhar seguidores para um movimento messiânico*.[193] A conclusão sobre a verdadeira missão de Jesus, no entanto, caberá a cada um que se debruçar sobre sua história, pois, como dirá o escritor Reza Aslan, estudiosos tenderão a ver o Jesus que eles quiserem ver.[194]

Sejam quais forem suas razões particulares, por mais nervoso que esteja com tudo isso, mesmo que o suor lhe escorra pela testa e lhe desça até os lábios, Jesus não tem como ignorar que os guardas dos sacerdotes o cercam por todos os lados, e que há também escribas, os tais doutores da lei com quem ele esteve aos doze anos, e também sacerdotes, decididos a matar um único homem em vez de ter o povo inteiro atormentado pelos romanos por causa da revolta que ele talvez pretenda liderar. Há ainda, um pouco mais distante, mas não menos alertas, os soldados romanos, centenas deles, com suas vestes vermelhas e capacetes metálicos, couraças protegendo o coração, lanças e escudos nas mãos, posicionados na fortaleza Antônia, vigiando do alto cada movimento estranho no Templo.

Estão todos, agora mais do que nunca, decididos a cortar esse mal messiânico pela raiz, ou pelo meio das mãos, talvez pelos pés, pregando-o o mais cedo possível numa cruz de madeira no alto do Gólgota, o *Lugar da Caveira,* que, tendo um nome assombroso como esse, dispensa explicação.

Os autores dos Evangelhos dirão que o povo ficou *maravilhado com seus ensinamentos* naquele momento de violência com vendedores e cambistas. Mas o povo deve ter percebido também que, tendo ou não propósitos puramente religiosos, como muitos defenderão, foi um ato de caráter revolucionário e indiscutivelmente agressivo. Além disso, um atentado contra o poder religioso que comanda o Templo como se a casa de Deus fosse uma fortaleza imperial e contra o poder verdadeiramente imperial que comanda o povo como se o imperador fosse uma divindade.

Jesus não quer mais saber de uma coisa nem de outra.

Não neste fim de tarde.

Por hoje, chega.

Se a cronologia dos Evangelhos estiver certa, chegou a terça-feira. Jesus acordou e logo foi ter de novo com a pobre figueira sem figos. Agora, para estranhamento dos apóstolos, sem folhas também. Foi Pedro quem chamou a atenção de Jesus.

– *Mestre, olha só a figueira que o Senhor amaldiçoou... secou!*

– *Tenha fé em Deus!* [195]

Jesus mais uma vez colocou Pedro contra a parede, exigindo demonstrações de fé.

– *Todas as coisas que você pedir na oração, acredite que já as recebeu, e assim acontecerá. E quando você estiver rezando, perdoe se tiver alguma coisa contra alguém... para que também o seu Pai que está nos céus o perdoe, e perdoe seus passos em falso.*[196]

Muito mais calmo, no dia que se supõe ser a antevéspera de sua morte, a derradeira quarta-feira, Jesus está enfrentando os saduceus que mandam naquela casa, os mesmos que o entregarão aos romanos, pois, como num bom suspense, aqueles que o tempo todo pareciam ser os grandes

JAMES TISSOT
A PROFECIA DA DESTRUIÇÃO DO TEMPLO (C. 1886-94)
Museu do Brooklyn, Estados Unidos

delatores, os fariseus, vão terminar sendo apenas coadjuvantes no julgamento do Cristo.

Os saduceus, com suas vidas luxuosas e seu pacto diabólico com os romanos, são o alvo maior dos essênios, sicários e zelotas, o foram de João Batista e agora o são também de Jesus.

– *Com que autoridade você faz essas coisas?* – pergunta-lhe um saduceu.[197]

– *E quem foi que lhe deu autoridade para fazê-las?* – Provavelmente quem pergunta já é outro, possivelmente um ancião, apoiado pela sabedoria e pelo poder que a idade lhe empresta, claramente querendo que Jesus declare algo que possa ser usado contra ele num julgamento.

– *Eu também vou fazer uma pergunta a vocês. Respondam-me e eu vou dizer com que autoridade faço essas coisas: o batismo de João era do céu ou dos homens? Respondam-me!* [198]

Os religiosos discutiram entre si procurando a melhor resposta. Perceberam que se dissessem que o batismo de João era dos homens estariam falando mal de um pregador que, mesmo morto, ainda era extremamente popular, e isso poderia atiçar a multidão que acompanhava aquele embate. Mas, se dissessem que o batismo de João era do céu, estariam dando a Jesus a oportunidade de dizer que ele age com a mesma autoridade de seu respeitadíssimo antecessor.

– *Não sabemos...* – os sacerdotes respondem.

– *Nem eu digo aos senhores com que autoridade faço essas coisas* – Jesus se limita a responder, anulando a discussão, e logo voltando ao tipo de pregação que o deixa mais confortável nesses últimos tempos.[199]

Ele conta ao povo a parábola de um homem que arrendou seu vinhedo e, estando em viagem, mandou que três empregados fossem cobrar o dinheiro devido. Os arrendatários mataram o primeiro emissário, bateram na cabeça do segundo, mataram o terceiro e seguiram com atos violentos até que o dono do vinhedo mandou seu próprio filho. Não é preciso grande entendedor para saber que o vinhedo é Israel, os arrendatários são aqueles que mandam em Israel, os emissários são profetas como João Batista, o dono do vinhedo é Deus, e seu filho é Jesus.

Eles vão respeitar meu filho, teria pensado o dono do vinhedo, a quem agora entendemos como o próprio Deus. Mas os arrendatários, a essa altura transformados em posseiros, pois não prestavam contas da terra que usavam, perceberam ali uma oportunidade ainda maior.

– *Este é o herdeiro dele... vamos matá-lo, e a herança será toda nossa!* [200]

Por fim, a parábola termina com o assassinato do filho.

É uma acusação prévia contra os saduceus que pedirão aos romanos para matarem Jesus numa cruz? Até o menos sábio naquela multidão deve ter entendido que o pregador acusou os sacerdotes de assassinos. Mais que isso, os acusou de estarem tramando a sua morte, porque ninguém mais duvida: a sentença que darão a Jesus já está tramitando nas conversas privadas.

Assim como na parábola, muito em breve os arrendatários do vinhedo de Deus executarão o plano de matar aquele que se apresenta como seu filho. Mas a vingança, conforme Jesus diz aos seguidores, não tardará.

– *O que vai fazer o dono do vinhedo? Virá e destruirá os arrendatários, e dará o vinhedo a outros.*[201]

Será possível que Jesus esteja prevendo a destruição do Templo de Jerusalém, o que, sabemos, acontecerá quase quatro décadas depois?

Será que está dizendo que vai ser por ordens de Deus que os romanos vão destruir aquela casa de religião e corrupção, matando dezenas de milhares de judeus? E será razoável que se faça um holocausto para vingar um único cordeiro?

Caberá a historiadores, arqueólogos e teólogos discutir o significado mais profundo dessas palavras de Jesus, talvez sem jamais chegar a alguma conclusão. Jesus parece certo de que vai morrer nas próximas horas.

Pelo que os estudos demonstrarão, o autor do Evangelho de Marcos escreverá seu livro sagrado tardiamente, depois que a destruição do Templo estiver consumada, no ano 70. Certo será que, quando escreverem seus relatos, os evangelistas já estarão muito bem informados dos horrores que os romanos terão feito no dia em que perderem a paciência e resolverem destruir o que, algumas décadas antes da chegada de Jesus, Herodes, o pai de Antipas, com seus poderes conferidos por César, transformou no maior complexo religioso de seu tempo.

Um pouco mais tarde, Jesus será ainda mais claro, numa conversa com os apóstolos.

– *Vocês veem essas construções grandiosas?* – ele diz, ao sair do Templo, provavelmente olhando para as muralhas construídas por ordem de Herodes, o Grande. – *Não ficará pedra sobre pedra!* [202]

Sim, daqui a alguns anos, quando o Templo for atacado pelo futuro imperador Tito, poucas pedras ficarão em seus lugares. Só o lado ocidental do muro resistirá. E será tão emblemático que os judeus passarão os próximos milênios rezando diante dele, lamentando-se, conforme se dirá com muita propriedade, como se ali ainda estivesse o Templo que, pelo relato dos evangelistas, Jesus amaldiçoou naquele dia em que percebeu que seria morto a pedido dos *arrendatários* da casa de Deus.

32 | INTERROGATÓRIO NO MEIO DA RUA

Se Jesus já vinha sendo vigiado e questionado pelos emissários dos sacerdotes, agora, depois do tumulto que criou dentro dos muros do Templo, vai ser interrogado por inquisidores decididos a arrancar dele uma confissão de culpa, uma declaração que possa ser considerada criminosa aos olhos da lei religiosa, para justificar o fim que os poderosos querem lhe dar: a condenação máxima prevista pela lei romana.

Primeiro chegam fariseus acompanhados de alguns emissários de Herodes Antipas. Se falhar diante deles, Jesus poderá ser condenado duplamente, pois seus crimes serão ao mesmo tempo contra a lei de Deus e a de César. Maliciosamente, fazem a ele um monte de elogios em que decerto não acreditam.

– *Mestre, sabemos que você é sincero, e não se importa com a opinião de ninguém, pois não discrimina as pessoas, mas ensina o caminho de Deus de acordo com a verdade.*[203]

O inquisidor vai chegar agora aonde pretende, querendo que Jesus cometa, primeiro, um crime contra Roma.

– *É correto ou não pagarmos impostos ao imperador?*

– *Por que vocês estão me testando?* – Jesus mais uma vez se desvia da armadilha. – *Tragam-me um denário e me deixem vê-lo.*[204]

Com dinheiro romano na mão, vendo um rosto gravado num de seus lados, Jesus pergunta, retoricamente.

– *De quem é esta efígie... e esta inscrição?*

– *Do imperador...*

– *Dê a César o que é de César, a Deus o que é de Deus.*[205]

Com essa resposta, Jesus evita uma condenação imediata, pois sabe muito bem que, quando ainda era menino, os romanos mataram Judas, o Galileu – o revolucionário fundador da seita que pregava que um judeu era covarde se pagasse impostos a César, pois estaria se submetendo a homens como se eles fossem seus senhores.[206]

Jesus não questiona o poder de César, não neste momento. Mas o inquérito não termina.

Agora são os saduceus que, mais uma vez, querem arrancar-lhe alguma confissão de culpa. Perguntam o que acontecerá se uma mulher perder o marido e se casar, sucessivamente, com cada um de seus seis irmãos, conforme eles forem morrendo. Casamentos de viúvas sem filhos são permitidos pela lei de Moisés.

– *Na ressurreição, ela será mulher de quem... já que os sete foram casados com ela?* [207]

Ao contrário dos fariseus, os saduceus não acreditam em ressurreição, mas, assim mesmo, fingem acreditar, apenas para colocar Jesus contra a parede e provar que os espíritos não resistem à morte de seus corpos, nem voltarão a viver quando Deus decretar o fim dos tempos. É um embate direto entre a tradição judaica e o que um dia será o cristianismo. Mas Jesus, de novo, escapa. Afirma que os saduceus desconhecem as escrituras e que tampouco conhecem o poder de Deus.

– *Quando ressuscitarem dos mortos, nem os homens terão mulheres, nem as mulheres terão maridos, mas serão como anjos no céu... Ele não é Deus dos mortos, mas dos vivos... os senhores estão completamente errados!* – Jesus responde, usando uma visão apocalíptica povoada por anjos que, muito em breve, se tornará ainda mais presente em suas palavras.[208]

Outra vez, o interrogado se saiu bem.

GUSTAVE DORÉ
JESUS E OS FARISEUS DISCUTEM O DINHEIRO DOS IMPOSTOS (1843)
Grande Bíblia de Tours, França, 1866

Mas seus inimigos não desistem.

Agora é um escriba que testa Jesus, com uma pergunta aparentemente óbvia.

– *Qual é o primeiro de todos os mandamentos?* [209]

Jesus responde com todas as letras que o primeiro mandamento é *amar a Deus acima de qualquer coisa*, mas resolve dizer também um segundo mandamento. E aí, pelo que estará registrado no Evangelho de Marcos, ele descarta a lei judaica que alerta contra a adoração de ídolos. O segundo mandamento, pelo que Jesus determina diante do escriba, é o amor aos seres humanos.

– *Você tem que amar ao seu vizinho como a si mesmo... não existe mandamento maior do que esse!* [210]

É, mais uma vez, a mensagem de humanidade de Jesus. Ao referir-se ao vizinho, conforme dirão outras traduções dessa mesma frase originalmente dita em aramaico e escrita em grego, Jesus estará pregando o *agape*, amor simplesmente, amor desinteressado, amor ao próximo, seja quem o próximo for. Afinal, de que adianta você dizer que ama a Deus se não é capaz de amar quem está do seu lado?

Para obter a grande recompensa prometida para depois da morte, Jesus explica, não adianta rezar em palavras vazias e jurar fidelidade a nenhuma lei religiosa. Como escreverá mais tarde o apóstolo Paulo, *ainda que eu falasse na língua dos homens e dos anjos, se eu não tivesse amor... nada seria.*[211]

JAMES TISSOT
FARISEUS E SADUCEUS SURGEM PARA ATENTAR JESUS (1886-94)
Museu do Brooklyn, Estados Unidos

Mas saduceus e fariseus não estão pensando em amor. Querem se livrar do pregador que, para eles, tornou-se um gravíssimo problema. Por um lado, desafiando a lei que é a base de toda a crença judaica. Por outro, semeando revolta, tumultuando o Templo justamente na semana em que o dinheiro corre solto. E, mais do que isso, se por acaso Jesus tiver a intenção de iniciar uma revolta popular contra Roma, pois é isso que muitos estão imaginando, Jerusalém inteira poderá ser destruída, pois os religiosos conhecem muito bem a História, sabem que a fúria dos estrangeiros que ocupam as terras de Israel pode ser pior até do que a fúria de Deus.

Como se ia dizendo, enfim, os poderosos não vão permitir que Jesus venha questionar seus privilégios ou atrapalhar seus negócios justamente numa das semanas mais movimentadas do ano, e muito menos diante das multidões que o acompanham por onde vai, influenciadas pelo que ele diz.

Jesus está estarrecido com o que entende como uma grande ignorância por parte daqueles que se intitulam *doutores da lei*, e decide mais uma vez atacá-los, justamente naquilo que é mais acintoso: a vida luxuosa que levam à custa dos fiéis.

– *Tomem cuidado com os escribas, que andam por aí usando mantos longos, querendo ser saudados com respeito nas praças públicas e sentar-se nos melhores lugares nas sinagogas e nos banquetes! Eles devoram as casas das viúvas e, apenas por fingimento, rezam longas preces. Eles vão receber a maior condenação possível.*[212]

Talvez, no dia do Juízo Final pregado por Jesus e por outros judeus que esperam o apocalipse, Deus venha a ser implacável com os escribas saduceus e também com os fariseus que tanto perseguem aquele que se apresenta como Seu filho. Mas, no mundo dos homens e de suas sujeiras, é Jesus quem vai sofrer primeiro.

33 | O APOCALIPSE SEGUNDO JESUS

O fim da vida se aproxima, e Jesus vê mais perto também o fim dos tempos. O apocalipse que tantos profetas anunciaram antes dele, o momento em que Deus revelará toda a sua fúria contra a maldade humana, está prestes a chegar. E é sobre isso que ele está falando com alguns apóstolos agora, sentado na encosta do morro, olhando para o Templo grandioso que está à frente deles, mas ainda assim a uma distância de mais de quinze minutos de caminhada pelo vale que separa o Monte das Oliveiras, onde ele está, do monte Moriá, aonde ele se prepara para ir.

Jesus está com Pedro, Tiago, João e André. A conversa é só com os mais próximos. E eles estão ansiosos, percebendo que algo grave está para acontecer.

– *Quando acontecerão essas coisas, e qual será o sinal quando tudo estiver perto de se completar?* – pergunta um apóstolo.[213]

– *Cuidado para que ninguém os tire do caminho! Muitos virão em meu nome dizendo sou eu, e vão desencaminhar muitas pessoas.*[214]

Depois de alertá-los sobre falsos mensageiros que falarão em seu nome, Jesus anuncia um tempo de guerras e destruição que irá anteceder o verdadeiro fim dos tempos.

– Quando ouvirem falar de guerras e rumores de guerra, não fiquem perturbados. É preciso que isso aconteça, mas o fim ainda está por vir. Pois povo se levantará contra povo, e reino contra reino. Haverá terremotos em vários lugares. Fome. Essas coisas serão o princípio das dores do parto.[215]

Jesus começa a falar também do sofrimento que seus seguidores viverão quando começarem a pregar em seu nome nas sinagogas, como se estivesse antevendo o que muito em breve acontecerá a Paulo, o apóstolo que será diversas vezes atacado, até ser torturado e decapitado pelo imperador Nero. Mas Jesus sequer conhecerá Paulo, e está falando a João, que será cozido em óleo e depois escravizado; a Tiago, mais tarde morto pela espada; e a Pedro, que será crucificado em Roma de cabeça para baixo.

– Irmão entregará à morte seu irmão, e o pai entregará o seu filho, e os filhos se voltarão contra os pais e os levarão à morte, e vocês serão odiados por todos por causa do meu nome. Mas quem perseverar até o fim, esse se salvará.[216]

As palavras que serão atribuídas a Jesus neste momento farão referência direta ao profeta Daniel, judeu exilado na Babilônia que pregou o fim dos tempos e, assim como Jesus, previu que estrangeiros iriam profanar o santuário de Jerusalém.

– Quando virem a abominação da desolação instalada onde não deve... fujam para as montanhas.[217]

A expressão *abominação da desolação* vem direto da escritura de Daniel e faz referência, provavelmente, a uma estátua de Zeus colocada no Templo judeu, ao mesmo tempo que pode ser entendida como um temor de Jesus com a ameaça que já existe de colocarem lá uma estátua de Calígula, futuro imperador, o que seria igual afronta: um ídolo romano na casa do Criador, e, mais do que tudo, o domínio estrangeiro sobre o povo que se acredita escolhido por Deus, justamente onde ainda pode estar a sós com sua divindade.[218]

Jesus os alerta mais uma vez para a necessidade de uma fuga apressada quando a tragédia começar.

– Ai da grávida e das que estiverem amamentando naqueles dias![219]

Ainda que diga que o fim está próximo, pois será testemunhado por esta geração, o mestre que fala a seus apóstolos não prevê exatamente

MICHELANGELO
O PROFETA DANIEL
(1508-12)
Capela Sistina, Vaticano

quando será esse dia terrível. Apenas diz que a ira de Deus, tal qual anunciada pelos profetas antigos, será atenuada para que a humanidade não seja toda aniquilada de uma só vez. O povo escolhido, que nesse apocalipse previsto por Jesus parece ser exclusivamente o povo judeu, se salvará porque, palavras dele, o Criador resolveu encurtar esse tempo para salvar *os escolhidos que ele mesmo escolheu.* E agora ele mesmo se chama de Cristo, verdade que não o dirá dessa forma, pois usará o aramaico *Meshiha,* ou o hebraico *Mashiah,* sempre Messias.[220]

– *Serão levantados falsos cristos e também falsos profetas que darão sinais e prodígios com o intuito de enganar, se possível, também os escolhidos.*[221]

Em seguida, mais uma vez reforçando a ideia de que veio para que as profecias sejam cumpridas, Jesus termina sua conversa com os apóstolos citando um oráculo de Isaías, dizendo que *o sol será escurecido ao nascer, e a lua não dará sua luz,*[222] antes de concluir que, naquele momento de trevas, o filho do Homem, ou simplesmente o ser humano, ou seja como for que se entenda o aramaico *bar-Enash,* o próprio Jesus, virá no meio das nuvens com poder e glória.

– *O céu e a terra passarão, mas as minhas palavras não passarão.*[223]

Naqueles dias, enquanto preparava os apóstolos para sua morte, Jesus fará um milagre que deixará todos em choque: ressuscitará um homem morto, conforme dirá o Evangelho de João. O que se sabia era que Lázaro estava *adormecido,* muito doente. E antes mesmo de ter notícias mais detalhadas sobre o amigo, Jesus anunciou sua morte.

– *Lázaro morreu... Mas vamos até ele.* [224]

Ao chegar, Jesus foi informado de que já fazia quatro dias que Lázaro estava no túmulo.

– *Seu irmão ressuscitará.* – Terão sido as palavras de Jesus a Marta, irmã de Lázaro.

– *Sei que ele vai ressuscitar na ressurreição, no dia derradeiro.* – Marta terá dito, pensando que Jesus falava da ressurreição prometida a todos os que o seguissem, no dia do Julgamento Final. Mas não era isso.

– *Eu sou a ressurreição e a vida... Quem crê em mim, mesmo que morra, viverá, e todo aquele que vive e crê em mim não morrerá até a eternidade. Você acredita nisso?*

O diálogo seguiu, até que todos começaram a lamentar a morte de Lázaro. *Jesus chorou*, dirá o Evangelho de João, sem explicar por que ele chora se pretende ressuscitar o amigo.

Em seguida, Jesus estará irritado, caminhando em direção à gruta usada como túmulo, mandando que rolassem a pedra que a fechava e, por fim, dando um grito poderoso.

– *Lázaro, saia aqui para fora!*

Conforme o relato de João, o homem se levantou do túmulo, ainda preso aos panos e ao sudário que lhe envolvia o rosto. O Evangelho dirá que terá sido a notícia desse milagre, um pouco antes da Páscoa, a gota d'água para que os sacerdotes saduceus e fariseus decidissem que era preciso matar Jesus. Numa reunião do Sinédrio, ali às portas do Templo, o sumo sacerdote explicou as razões.

– *É preferível que um homem morra pelo povo para que não morra a nação inteira.*[225]

E o homem que em breve morrerá para que fique em silêncio está agora sentado no chão, ensinando aos discípulos, até que os religiosos aparecem de novo para importuná-lo. Chegam trazendo uma mulher, acusada de adultério. Perguntam se Jesus acha que eles devem matá-la a pedradas, conforme determinado pela lei judaica.

O pregador, mais uma vez, está sendo testado. E, enquanto pensa, agachado, escreve com o dedo no chão. Ora, quem escreve com o dedo, nos grandes momentos bíblicos, é o próprio Deus. Não foi assim quando

Moisés contou que *o Senhor me entregou duas tábuas de pedra escritas com seu dedo divino*? [226]

Por muitos e muitos anos, religiosos e estudiosos criarão teses mirabolantes para explicar o impossível: ninguém registrou palavras escritas por Jesus. Nenhuma, aliás, em toda a sua vida. Parece muito provável, no entanto, que ele esteja escrevendo sobre aquilo que dirá a seguir.

– *Aquele entre os senhores que não tiver pecado que atire a primeira pedra!* [227]

Os escribas e fariseus desistem do enfrentamento. Jesus não condena a mulher, diz que vá embora e que nunca mais cometa o pecado do adultério.

O clima está pesado e Jesus entra em nova discussão.

Acusa os fariseus de quererem matá-lo. Questiona se eles têm realmente origem em Abraão. Ou seja, sugere que não se comportam como judeus.

– *Se fossem filhos de Abraão, fariam obras de Abraão. Querem agora matar a mim, o homem que disse a verdade, que ouvi junto de Deus.*[228]

Os fariseus não toleram o desafio, e devolvem o insulto: insinuam que Jesus talvez não seja um filho legítimo.

– *Nós não nascemos da prostituição, e temos um pai que é Deus.*[229]

A palavra aqui é prostituição mesmo.

No original, em grego, *porneia*, originária do verbo *pérnêmi*, que significa *vender*. E servirá, muito mais tarde, para que rabinos muito incomodados com a violência de cristãos contra judeus afirmem o mesmo que os fariseus: que Jesus não é filho legítimo de Maria. Escreverão em seus livros rabínicos que Jesus seria filho de um adultério, que sua mãe teria tido um caso amoroso com um soldado romano chamado Pantera.[230]

– *Vou falar a você em nome de Jesus, filho de Pantera.* – Ficará registrado no Talmude de Jerusalém, numa fala atribuída ao apóstolo Tiago, causando revolta entre os cristãos.[231]

Num outro livro, rabinos farão uma acusação direta à mãe de Jesus.

– *Mas a mãe dele não era Maria, aquela que arrumava os cabelos das mulheres? Como costumamos dizer em Pumbedita* [cidade da antiga Babilônia], *aquela que foi falsa com o marido!* [232]

REMBRANDT
A RESSURREIÇÃO DE LÁZARO (C. 1630-32)
Museu de Arte do Condado de Los Angeles, Estados Unidos

Mas, muito antes que essas terríveis acusações sejam registradas em diferentes páginas dos Talmudes, ainda na semana que mudará a História, Jesus dá a entender que seu pai não é José, abrindo caminho para a afirmação de que Maria nasceu e morreu sem perder a virgindade, pois Deus é seu único pai.

– *É o meu Pai que me glorifica, Ele de quem vocês dizem "é nosso Deus", apesar de não o conhecerem... Mas eu o conheço... seu pai, Abraão, ficou exultante por ver o meu Dia.* – Jesus diz às autoridades judaicas que o enfrentam.[233]

– *Você ainda não tem cinquenta anos e viu Abraão?*

– *Amém, amém, eu lhes digo: antes de Abraão ter existido já "Eu Sou"* – Jesus lhes respondeu, usando a expressão *Eu Sou,* profundamente associada a Deus, aquele que sempre existiu.

No fim desse embate desagradável e cheio de insultos, surge uma informação que levará teóricos cristãos a inferirem que Jesus não tem trinta e poucos anos, como se tornará quase um consenso, pois se o fariseu disse que ele *ainda não tem cinquenta anos* é porque está na casa dos quarenta.

Mas Jesus não morrerá com trinta e três anos?

34 | A IDADE DE JESUS

Jesus está vivendo os últimos dias de sua vida e até agora não sabemos quantos anos ele tem. Está com trinta e três ou trinta e quatro? Ou será muito mais velho, com mais de quarenta como sugeriu o fariseu? Em que ano nasceu, ou mesmo em que ano estamos?

A única data que os Evangelhos nos informarão com alguma precisão será *o décimo quinto ano do reinado de Tibério César*, o imperador desse tempo, levando estudiosos a concluírem que o momento registrado, quando Jesus foi batizado, aconteceu no ano 29 do que um dia será conhecido como a Era Cristã.

Sendo assim, se Jesus nasceu por volta do ano 4 a.C., conforme muitos estudiosos concluirão com base em outras pistas deixadas pelos evangelistas, e pregou por três anos, morrerá com trinta e seis?[234] Mas se, por outro lado, Lucas dirá que ele começou seu ministério com cerca de trinta anos, poderíamos dizer que ele morrerá com trinta e três? Fazendo uma série de outros cálculos, teóricos concluirão que Jesus está agora, às vésperas de sua morte, com algo entre trinta e quarenta e poucos anos.

Mas que idade, afinal?

A discussão será longa e inconclusiva.

LEONARDO DA VINCI
SALVATOR MUNDI
(C. 1500)
Louvre Abu Dhabi, Emirados Árabes Unidos

Em suas *Contra heresias*, o bispo francês Irineu de Lyon, um dos pais da teologia cristã, afirmará que *a partir dos quarenta ou cinquenta anos um homem começa a declinar em direção a uma idade avançada, a* [idade] *que nosso Senhor possuía enquanto Ele ainda exercia as funções de um Professor.*[235]

Nem com o passar dos séculos nem com o avanço das pesquisas será possível afirmar essa ou qualquer outra idade. Primeiro porque, além do diálogo com os fariseus e da menção no Evangelho de Lucas, haverá uma frase que levará estudiosos a acreditarem que o Evangelho de João está dizendo a idade de Jesus de maneira cifrada.

– *Destruam este santuário e em três dias eu o levantarei.*[236]

– *Quarenta e seis anos foram precisos para se construir este santuário.* – Teriam respondido as autoridades do Templo de Jerusalém.

Logo em seguida, o evangelho dará uma explicação: Jesus falava do santuário de seu corpo. E isso fará todo o sentido, pois será depois de três dias que os discípulos o verão ressuscitado, apesar das chagas, com o santuário inteiro outra vez. Então o texto bíblico desejará realmente informar que Jesus tinha quarenta e seis anos no dia em que entrou no Templo irritado com os vendedores e cambistas?

Aí surge novamente o questionamento sobre o verdadeiro conhecimento dos evangelistas sobre datas e cronologias. Lucas, por exemplo, comete um erro gravíssimo: diz que Maria ficou grávida no tempo de Herodes, o Grande (morto em 4 a.C.) e em seguida afirma que Jesus nasceu durante o governo do romano Quirino (iniciado em 6 d.C.). Quem terá autoridade para falar sobre a idade de Jesus? A imprecisão será tanta que será possível dizer que Jesus morreu com trinta e três ou quarenta e oito anos sem que ninguém possa atirar alguma pedra no escritor.

35 | PRIMEIRA DESPEDIDA

O pregador que passou os anos mais importantes de sua vida convivendo com os renegados está agora na casa de Simão, um homem com doença contagiosa tão grave que, normalmente, seria considerado impuro pela lei judaica, estaria isolado da sociedade e só poderia voltar ao convívio depois de ter suas feridas avaliadas por um sacerdote que lhe dissesse que *suas úlceras se fecharam, está curado*. Mas Jesus convive com o leproso sem analisar a profundidade de suas feridas, sem se perguntar se são contagiosas ou não, e, dessa vez, sem falar em cura. Mais ainda, está dentro da casa do homem que dois Evangelhos dirão ser também um fariseu, no vilarejo de Betânia, muito perto de Jerusalém, onde milhares de judeus continuam chegando para celebrar a Páscoa, onde, aliás, ele esteve algumas vezes nesses últimos dias enfrentando poderosos e, em seu momento mais furioso, jogando coisas para o alto, acusando saduceus, fariseus e comerciantes de corromperem a casa de Deus.[237]

Mas agora, ainda que saiba que os chefes dos sacerdotes e os escribas estão planejando matá-lo, Jesus está bem à vontade na casa de Simão. É fato que se sente melhor com leprosos do que com religiosos de alma corrompida, e que nem todo fariseu é seu inimigo, pois ele já esteve outras vezes comendo com eles. E está tão à vontade que recebe

PETER PAUL RUBENS
CRISTO NA CASA
DE SIMÃO, O FARISEU
(1618-20)
Museu Hermitage, Rússia

com alegria o gesto inesperado de uma mulher que o autor do Evangelho de João dirá ser uma irmã de Lázaro, Maria, eternizada como Maria de Betânia, mas que os outros Evangelhos deixarão anônima, levando ao surgimento de uma tradição que afirmará que estamos diante de Maria Madalena.

Seja qual for a Maria, fato é que ela chega trazendo um frasco de alabastro, uma pedra branca delicada, e, ao rompê-lo, derrama perfume de nardo sobre a cabeça de Jesus. Dirão também que a mulher chora muito, a ponto de molhar os pés de Jesus com suas lágrimas, para logo secá-los com seus cabelos soltos, coisa que uma mulher judia só faz quando quer louvar a Deus, e depois beijar-lhe os pés, e jogar perfume de nardo sobre eles.[238]

Podemos sentir o aroma da essência dessa flor tão rara que só se encontra no Himalaia, tão apreciada que há muitos séculos vem sendo usada pelos sacerdotes nos rituais da Páscoa, e também tão romântica que nos faz ouvir a poesia do cântico dos cânticos dedicada ao rei Salomão – extremamente sensual – em momento tão semelhante que nos faz pensar que, ao ser ungido com óleo de perfume tão nobre, Jesus está sendo tratado como um rei. Pois reis, assim como Salomão, são ungidos.

Quando o rei estava à sua mesa,
meu perfume de nardo espalhou sua essência sobre ele.[239]

Assim diz um trecho do primeiro cântico de Salomão, antes de seguir por um erotismo que não veremos com tanta certeza na casa de Simão, ainda que mais tarde muitos artistas o vejam ao retratar essa cena.[240]

Talvez, mais apropriadamente ainda, a unção de Jesus à mesa, e com nardo puro, seja o tratamento digno de um Messias, um Cristo. Afinal, um desavisado perguntaria: não é exatamente *ungido* o significado do nome que ele carregará para sempre?

Ninguém na casa de Simão vê esses simbolismos e a mulher é recriminada. O Evangelho de João dirá que quem reclama é Judas Iscariotes, que em breve descobriremos ser o traidor.

– *Por que não se vendeu esse perfume por trinta denários e não se deu* [o dinheiro] *aos pobres?* – Judas se intromete.[241]

Mas, ora, que desperdício se o perfume tão caro foi derramado sobre a cabeça, ou sobre os pés, daquele que em poucas horas vai dar a vida para salvar a humanidade?

A mulher entende Jesus melhor que seus próprios discípulos.

– *Deixe-a... para que ela conserve o perfume para o dia do meu enterro.* – O próprio Jesus condena o apóstolo, antecipando o que acontecerá, seja com nardo ou outro perfume, no dia em que ele for retirado da cruz.[242]

Então, ele não tem mais dúvida de sua morte? E o tom de sua fala, é irônico, sarcástico ou desolado?

Talvez seja como se o livro dos Salmos estivesse agora, diante deles, aberto em seu décimo capítulo.

Por que o Senhor fica tão distante?
Por que se esconde em tempos de angústia?

E se os primeiros versos resumem o sentimento que Jesus muito em breve terá na cruz, o oitavo é o que mais se parece ao que vai acontecer ainda nesta quarta-feira.

Ele faz emboscadas nos vilarejos,
Esperando para matar o inocente.

É premonição?

Cumprimento das escrituras?

O mesmo Salmo que fala em traição parece prever também o que pelos próximos milênios se dirá dos assassinos de Jesus.

Os malévolos são muito orgulhosos para procurar Deus.
Parecem pensar que Deus está morto.

Deus não morrerá.

Mas aquele que se apresenta como seu filho está vivendo a angústia de quem já se sente condenado à morte. E o homem que faz emboscadas nos vilarejos, o traidor Judas Iscariotes, acaba de sair para cumprir sua missão. Foi se encontrar com o sumo sacerdote.

Judas não matará com suas próprias mãos. Aliás, muito pelo contrário, dirão que ele as usará para cometer suicídio, mas isso ninguém na casa de Simão é capaz de prever. Os autores dos Evangelhos nos informarão que os sacerdotes saduceus terão ficado muito contentes com a benevolência de Judas. Terão prometido, inclusive, uma recompensa em dinheiro. Mas, afinal, Judas traiu Jesus por dinheiro ou porque era esse o plano divino?

De qualquer forma, tenhamos paciência, pois essa dúvida resistirá por dois mil anos sem que se encontre uma resposta definitiva sobre a verdadeira motivação de Judas. E qualquer livro, tese ou argumento que tente decifrar seus sentimentos não passará, jamais, de mera especulação.

HANS MEMLING
CENAS DA PAIXÃO
DE CRISTO (1470-71)
Galleria Sabauda, Itália

QUINTA-FEIRA

CORDEIRO ENTRE LOBOS

ÉDOUARD MOYSE
A APRESENTAÇÃO
DA TORÁ (1860)
Museu de Arte e História
do Judaísmo, França

36 | PESSACH

Mais de mil anos antes desta semana trágica em que Jesus está prestes a ser condenado, na época em que o grupo conduzido por Moisés saiu do Egito querendo se juntar a outros grupos de hebreus na terra que o patriarca Abraão lhes contou ter sido prometida por Deus, e pelos séculos que se seguiram, os hebreus escreveram cinco livros que, juntos, ficaram conhecidos como Torá, que é o mesmo que Pentateuco, onde registraram os mitos e a história sagrada de seu povo em suas relações com o divino, e também as leis que todos eles estariam obrigados a seguir.

Os livros foram chamados de Gênesis, Êxodo, Levítico, Números e Deuteronômio, e informam o que teriam sido as ordens de Deus, por meio de suas conversas com o profeta Moisés, sobre cada aspecto da vida cotidiana e religiosa do povo chamado primeiro de hebreu e depois de judeu. Há, especialmente, explicações detalhadas sobre como deve ser a celebração do *Pessach,* a Páscoa judaica.

No mês de *aviv*, futuramente *nisan*, equivalente aos meses de março ou abril, relembrando o momento em que a tradição afirma que o profeta liderou os hebreus para sair do Egito e fugir da escravidão, a lei de Moisés determina que se deve *tomar para si um cordeiro por família,* pois, no décimo quarto dia, a comunidade matará o cordeiro e as famílias *pegarão o seu sangue e o colocarão sobre os dois marcos e a travessa da porta, nas casas em que o comerem.*[243]

Conforme o que a Torá afirma terem sido as palavras de Deus a Moisés, é preciso marcar as casas com o sangue do cordeiro para dizer a Deus que ele não deve destruir aquele lar, pois pertence a uma família que faz parte de seu *povo escolhido.* O significado da palavra hebraica *Pessach,* traduzida para o inglês como *Passover* e para o português como Páscoa, é mais complexo do que dirão.

Antes de qualquer coisa, a ideia de que é uma *passagem,* como será escrito na famosa tradução da Bíblia para o latim, a Vulgata seguida por muitos cristãos, será uma tentativa de explicar algo que tem origem num ritual típico dos pastores nômades, que sacrificavam e comiam seus animais para comemorar a primavera, de maneira aliás bastante parecida com a descrição encontrada no livro do Êxodo.

A tradição judaica entenderá que o termo se refere também à *passagem* de Deus pelas casas marcadas pelo sangue do cordeiro, as casas que Deus saltou enquanto foi destruindo as casas dos egípcios.

DAVID ROBERTS
ISRAELITAS DEIXANDO O EGITO (C. 1828-30)
Museu e Galeria de Arte de Birmingham, Reino Unido

VICENZO CIVERCHIO
PREPARAÇÃO PARA
O PESSACH (1504)
Galeria Nacional de Arte,
Estados Unidos

HUYBRECHT BEUBKELAER
O PRIMEIRO SEDER DO PESSACH (1563)
Acervo particular, Estados Unidos

Mas, de fato, o êxodo do grupo liderado por Moisés, a longuíssima viagem *do Egito para Canaã*, inclusive a *passagem* sobre as águas abertas do mar dos Caniços (e não o mar Vermelho, como se pensará), será a razão principal do festival judaico, e é assim que Jesus o entende.[244]

Quando o *Pessach* se aproxima, todos os judeus devem ir a Jerusalém (ou fazer algo compensatório) para dedicar um cordeiro em sacrifício a Deus. Durante sete dias, devem comer pão sem fermento, nem podem ter fermento em suas casas, sob o risco de serem expulsos da comunidade. É o chamado pão ázimo, que deve ser comido em memória do sacrifício feito por Moisés e aqueles que o acompanharam na fuga do Egito. Por fim, os livros que ditam as leis judaicas se referem a esse cordeiro sacrificado como *a Páscoa*. Sim, o próprio cordeiro é a Páscoa.

– *Imolai a Páscoa!* – determina a lei de Moisés, conforme o capítulo doze do Êxodo, bastante conhecido por Jesus.[245]

E assim começará também a narrativa do Evangelho de Marcos, quando falar desta quinta-feira.

No primeiro dia dos Ázimos, quando se imolava a Páscoa...

A tradução direta do grego original, evitando-se os ajustes feitos pela tradução para o latim, deixará isso ainda mais claro, no verso seguinte, com a pergunta que os discípulos fazem a Jesus.

– *Onde você quer que façamos os preparativos para comer a Páscoa?*[246]

Jesus vai *comer* a Páscoa?

Sem dúvida.

Os discípulos querem saber onde irão comer cordeiro assado (não pode ser cru nem cozido em água) com pão sem fermento, acompanhado de vinho. E, se seguirem à risca o que está nos livros, terão de fazer essa ceia em Jerusalém, pois são judeus, e ainda não sabem ao certo quais entre as centenas de mandamentos contidos na Bíblia judaica Jesus os dirá para seguir ou descumprir.

Jesus dá a entender que tudo foi arranjado com antecedência. O evangelista Marcos dará até ares sobrenaturais ao momento, como se Jesus tivesse criado uma espécie de enigma divino para levar seus discípulos até a casa onde deverão jantar.

– *Vão até a cidade... e virá ao encontro de vocês um homem trazendo um jarro com água. Sigam ele.*

Os discípulos deverão seguir o homem quando ele entrar numa casa de Jerusalém e dizer ao dono da casa que estão cumprindo ordens do mestre.

– *Onde está a sala de visitas em que eu posso comer a Páscoa com meus discípulos?* – É a pergunta que os discípulos fazem, em nome de Jesus, antes de subirem ao segundo andar da casa, encontrarem uma sala mobiliada e preparar o ambiente para o jantar.

LEONARDO DA VINCI
FACE DE JESUS (C. 1494)
Pinacoteca de Brera, Itália

37 | ESTE É O MEU SANGUE

Anoitece. Podemos ver Jesus subindo o monte Moriá em direção à cidade que parece uma fortaleza, com muralhas erguidas ainda nos tempos em que Isaías vagava sem roupas por essas ruas agora iluminadas por tochas, lotadas, pois judeus vieram de todos os cantos para a grande celebração. É provável que Jesus ande apressado. Não quer ser visto pelos guardas dos sacerdotes saduceus que o perseguem. Manteve segredo sobre o lugar desta ceia porque não quer ser preso, e tem coisas importantíssimas a dizer. O que acontecerá nas próximas horas, talvez ele não saiba disso, será repetido por seus seguidores a cada Páscoa que vier depois desta, em celebração à sua vida, e também à sua morte, que, todos os que o acompanham pressentem, está prestes a acontecer.

Quando Jesus e os apóstolos chegam à casa onde dois deles estiveram mais cedo, a sala de visitas do andar de cima já está preparada. Sabemos que há pão e vinho sobre a mesa. O cheiro de cordeiro assado que sentimos pode estar vindo de uma casa vizinha, pois não ouvimos falar de nenhuma carne sobre essa mesa, ou mesmo sem mesa, no chão, no meio das almofadas, ainda que seja justamente o dia de comer o cordeiro sacrificado em homenagem a Deus. Faltou dinheiro?

LEONARDO DA VINCI
A ÚLTIMA CEIA (1495-98)
Igreja Santa Maria da Graça, Itália

Ou decidiu-se por omitir o item principal do cardápio? Talvez não se diga nada sobre o cordeiro, porque o pão e o vinho serão muito mais importantes neste jantar. Talvez porque o cordeiro que interesse seja apenas aquele que está agora sentado diante da comida, provavelmente no centro da mesa, como um dia imaginará Leonardo da Vinci ao pintar este momento tão sagrado. Certo é que, ainda que outros pintores assim o imaginem, não veremos Jesus comer carne alguma, da mesma forma como seus seguidores farão nas próximas Páscoas, em sua memória, comendo talvez peixe, mas jamais cordeiro ou porco ou vaca ou ave ou outra coisa que se mova sobre pés ou patas, pois haverá que se respeitar o outro corpo sacrificado, aquele que em breve será levado até a cruz.

Antes de qualquer conversa, o Evangelho de João dirá que Jesus enche uma bacia com água e começa a lavar os pés dos apóstolos. Depois os seca, usando uma toalha que amarrou à cintura. Estará se lembrando aqui do momento em que Maria lavou e ungiu seus pés em Betânia? É possível que esteja querendo purificar seus seguidores, como nos rituais de imersão, como no batismo de João.

Mas Pedro, sempre ele, não aceita que seu mestre faça aquilo que só poderia ser feito por um escravo. A prática dos antigos, de fato, era que o anfitrião apenas oferecesse a água para que cada um lavasse os próprios pés.

– *Você não me lavará os pés... jamais, até a eternidade!*

– *A não ser que eu o lave, você não terá lugar comigo.* – Jesus condena Pedro, lava seus pés e segue com um ensinamento. – *Vocês também deverão lavar os pés uns dos outros... o escravo não é maior do que o amo dele, nem um apóstolo é maior do que Aquele que o enviou.*[247]

Jesus diz, no entanto, que não estão todos limpos. E chega ao assunto que mais o incomoda.

– *Um de vocês vai me trair... um que está à mesa comigo.*[248]

– *Por acaso sou eu?* – pergunta um deles, como se não tivesse vontade própria.

Podemos imaginar o burburinho que vem a seguir.

Apóstolo desconfiando de apóstolo.

Olhando para quem está à sua frente, e depois para o que está ao lado, perguntando *É você?*, para ouvir prontamente um *Claro que não!*, e, enfim, deixar que Jesus continue, pois ainda tem muito a dizer.

– *É um dos doze, aquele que está colocando a mão no prato comigo.*[249]

Podemos imaginar os olhares.

Alguém certamente está pensando: *é Judas, pois eu vi quando ele colocou a mão no prato junto com o mestre*!

Sim, Judas está ao lado de Jesus, ou à sua frente, caso contrário os dois não alcançariam o mesmo prato numa mesa com pelo menos treze pessoas.

Mas ninguém ousará acusá-lo.

Não agora.

E Jesus continua falando.

– *O filho do Homem segue o seu caminho, tal como foi escrito a seu respeito.* – Jesus dá a entender que até sua morte está prevista, pensando, como muitas vezes o faz, na profecia de Isaías. – *Mas... ai daquele por meio de quem o filho do Homem é traído! Seria melhor para aquele homem se ele não tivesse nascido.*[250]

Assim mesmo, com as orelhas em pé, com as bocas ainda sabendo a amargo, ficam todos em silêncio enquanto Jesus abençoa a comida. Ele parte o pão sem fermento. E, estendendo o pedaço que tem em sua mão, dá uma instrução aos apóstolos.

– *Peguem, isto é o meu corpo!* [251]

Jesus pega um cálice com vinho.

Diz graças a Deus.

E oferece o cálice a todos, querendo que eles compartilhem aquele vinho, que agora é sangue.

– *Bebam todos vocês! Este é o sangue da minha aliança, derramado por muitos.*

Podemos imaginar os apóstolos comendo o pão que Jesus disse ser o seu próprio corpo – sem a menor ideia de como isso um dia dividirá seus seguidores, pois alguns entenderão que o corpo de Jesus de fato estará presente nas hóstias consagradas, por um processo de *transubstanciação*, ou seja, por uma mudança metafísica na substância do pão e do vinho consagrados; enquanto outros entenderão que há uma *consubstanciação*, pois Cristo estará espiritualmente presente, coexistindo com o pão e o vinho, e haverá também os que verão na Comunhão um simbolismo apenas, ainda que profundamente importante; e essa discussão será acalorada, como muitas que se darão em torno dos fatos que estão acontecendo nesta sala de visitas que um dia será conhecida como Cenáculo.

Os apóstolos ainda estão escandalizados com a notícia de que Jesus será traído. Dificilmente conseguirão relembrar exatamente as palavras que o mestre continua dizendo durante a ceia. Estão atordoados. No Evangelho de Lucas, haverá ainda um elemento teológico importante na fala de Jesus.

– *Façam isto em minha memória!* [252]

Ele está pedindo aos apóstolos e seguidores que repitam o gesto de compartilhar o pão e o vinho para se lembrar dele e de tudo o que ele representará às gerações futuras. Talvez não saiba que seus seguidores entenderão que ele está também determinando o fim da tradição milenar de se matarem cordeiros e oferecê-los em sacrifício a Deus, pois o sacrifício agora será ele próprio, e a Eucaristia, o ato de ingerir um pedaço do pão e beber um pouco do vinho durante missas e cultos, será o rito mais importante da grande maioria das religiões que serão parte de um movimento universal conhecido como cristianismo.

Sabendo que não escapará das mãos dos saduceus e dos fariseus, muito menos das lanças dos legionários romanos, Jesus avisa também que esta será sua última Páscoa terrena. A próxima será no Reino de Deus.

Antes do fim da ceia, há tempo ainda para uma discussão fora de hora entre os apóstolos. Mais uma vez, eles estão em disputas. Um querendo saber se é mais importante que o outro. Jesus dá-lhes uma lição e fala agora diretamente com Pedro, a quem volta e meia chama pelo nome de Simão.

– *Simão, Simão! Satanás pediu você para peneirá-lo como trigo. Mas eu rezei por você para que sua fé não desapareça.* – Jesus está mais uma vez notando a fé vacilante de um de seus apóstolos preferidos. – *E eu digo, Pedro, que o galo não vai cantar hoje sem que você tenha negado três vezes que me conhece.*[253]

Falando mais uma vez a todos os doze apóstolos, Jesus lhes diz que não tem dúvida de que todos o abandonarão, e dá uma ordem que só

GREGÓRIO LOPES
ÚLTIMA CEIA
(SÉC. XVI)
Igreja de São João Batista, Portugal

o Evangelho de Lucas registrará. É uma convocação à luta armada, ou pelo menos à defesa.

– Quem tem uma bolsa que a pegue, assim como o alforje... E quem não tem, que venda a capa e compre uma espada! [254]

Mais uma vez, Jesus diz que as profecias estão sendo cumpridas com sua vinda. Ele é o Messias, o Cristo. Ou serão os evangelistas que escreverão suas falas em concordância com as profecias?

A referência é, mais uma vez, à profecia de Isaías que fala do Servo de Deus. A mesma que antes foi usada para falar daquele que será conduzido ao matadouro como um cordeiro, mas que agora antecipa outro acontecimento, o fato de que Jesus será tratado como criminoso, escolhido para a morte no lugar de um assassino, e crucificado ao lado de dois revolucionários que a História reduzirá a simples ladrões.[255]

– Digo a vocês que esta palavra da escritura tem que se cumprir em mim, isto é: "foi contado entre os malfeitores". Pois aquilo que me diz respeito chega ao fim.[256]

Os apóstolos, no entanto, já estavam armados. Mostraram-lhe duas espadas. E Jesus achou que seria o suficiente.[257]

38 | BEIJO, AGONIA E FUGA

A noite de quinta-feira parece longa demais. Jesus não consegue dormir, e está agora num jardim de oliveiras, aos pés do monte que leva o mesmo nome das árvores de raízes profundas que o ornamentam, pensando que a fé de Pedro não está assim bem enraizada, certo de que um outro apóstolo fará ainda pior do que apenas negar o mestre. Ele demonstra agora, talvez mais do que em qualquer outro momento, sua humanidade.

Por mais que tenha certeza de que está agindo conforme os desejos de Deus, mesmo que venha dizendo que as escrituras sagradas do povo judeu estão se cumprindo com sua breve passagem por esta terra, Jesus está angustiado, temendo o sofrimento que se anuncia.

– *Minha alma está aflitíssima... até a morte!* [258]

Mesmo decidido a enfrentar a morte e se tornar o Cordeiro de Deus que, dirão, irá tirar os pecados do mundo, o mestre agora precisa de ajuda. Pede aos três preferidos, Pedro, Tiago e João, para não saírem de perto e não fecharem os olhos.

– *Fiquem aqui, e fiquem acordados!* [259]

Acordados e com as suas duas espadas ao alcance das mãos. Pois só assim os apóstolos poderão fazer alguma coisa pelo mestre se aqueles que há quase uma semana o perseguem conseguirem encontrá-los em meio às oliveiras, ali onde alguns foram dormir, perto da pequena fábrica de azeite, agora transformada em cenário para o começo do sofrimento de Jesus. E o sofrimento é tão profundo que seus seguidores preferirão a palavra paixão, *Paixão de Cristo*, dirão, sem por um instante quererem dizer outra coisa além de sofrimento, puro sofrimento. Paixão, digamos antes que os romanos cheguem, vem da palavra latina *passio*, e que não quer dizer outra coisa que sofrimento, martírio. A ideia de paixão como desejo intenso por outra pessoa (ainda que muitas vezes regada de sofrimento) virá muito mais tarde, e não para falar do momento terrível que Jesus está vivendo.

HEINRICH HOFMANN
CRISTO NO JARDIM DO GETSÊMANI
Igreja de Riverside, Estados Unidos

Ele se afastou dos apóstolos.

Queria rezar sozinho.

Não apenas ajoelhou-se, como sempre faz ao rezar: atirou-se ao chão, caiu por terra, e agora começa a falar com Deus, a quem sempre chama de Pai.

– *Afaste de mim esse cálice!* – Jesus diz, deixando claro que, apesar de estar sofrendo muito, desejando que sua agonia acabe logo, quer que tudo aconteça conforme o que pensa ser a vontade de Deus. – *Não o que eu quero... mas o que o Senhor quer!* [260]

Podemos imaginar que Jesus está suando frio, pois um Evangelho dirá que o suor escorre de seu corpo mesmo quando sabemos que não é tempo muito quente em Jerusalém. E se dirá que o suor *ficou como gotas de sangue caindo no chão*, e que lhe apareceu um anjo, emissário do mesmo Deus com quem Jesus conversa em suas orações.[261]

Jesus passou ainda mais tempo rezando. Em alguns momentos ficou em silêncio, ou falando baixo, e certamente disse palavras que os apóstolos não ouviram. Até porque já faz tempo que estão todos dormindo. Mais uma vez, é de Pedro que Jesus vai reclamar primeiro.

– *Dormindo? Você não teve força para ficar acordado por uma hora?*

CARAVAGGIO
A PRISÃO DE CRISTO
(C. 1602)
Galeria Nacional da Irlanda

Podemos imaginar Pedro esfregando os olhos, se perguntando que horas serão, notando que ainda está escuro, e que, para sua sorte, o galo ainda não cantou.

A bronca agora é para todos.

– *Fiquem acordados e rezem para que vocês não caiam em tentação! O espírito está desejando... mas a carne é fraca.*

Jesus rezou mais. Novamente, ao voltar, encontrou os apóstolos dormindo, mal conseguindo abrir os olhos. E foram três as vezes em que eles dormiram, descumprindo o pedido do mestre, de certa forma abandonando-o à própria sorte, pois todos já foram muito bem informados de que Jesus está prestes a ser traído, faz tempo que vem sendo procurado, e não foi por outro motivo que lhes pediu que ficassem com as espadas ao alcance das mãos. Aliás, será que não notaram a ausência de um dos apóstolos?

É quando Jesus perde a paciência...

– Basta! A hora chegou, o filho do Homem vai ser traído pelas mãos dos pecadores. Levantem-se, vamos!

É justamente no meio dessa fala que ele é surpreendido pela chegada de Judas.

– Vejam... meu traidor está chegando!

A confusão está armada. Ou melhor, estão todos armados. Judas vem acompanhado de soldados que chegam trazendo espadas e paus. São os guardiões do todo-poderoso sumo sacerdote, a guarda religiosa que chega para cumprir uma ordem de prisão. Por que será que não prenderam Jesus quando ele estava pregando nas proximidades do Templo? Por que precisaram de um traidor? Será que só agora que ele resolveu se esconder os sacerdotes conseguiram um bom motivo para justificar sua prisão? E justamente na noite em que estão com suas barrigas cheias de vinho e cordeiro, a noite mais sagrada do ano judaico?

Pois assim ficará escrito.

Os Evangelhos ainda dirão que Judas precisou usar de um artifício espúrio para indicar aos soldados quem é o homem que os chefes deles andam procurando. Desinformados! Ainda não sabem quem é Jesus? Ou está escuro demais e os soldados temem confundi-lo com Pedro ou João?

Pois fiquem sabendo, lhes avisou Judas, é *aquele que eu beijar*![262]

Beijo no rosto é um cumprimento normal entre os homens. Certo dia, o próprio Jesus reclamou de um fariseu, pois ele não o beijou quando o recebeu em sua casa. Mas agora o beijo é de morte. E Judas, dirão, receberá dos sacerdotes trinta moedas de prata pelo beijo assassino.[263]

Os soldados avançam para cima de Jesus. Prendem suas mãos. Os apóstolos reagem. Podemos imaginar a briga, o empurra-empurra, *não vão levar nosso mestre*! Mas Pedro, pescador de profissão, homem ágil, conhecedor das maldades humanas, saca sua espada e ataca um soldado. Corta sua orelha. Talvez o outro apóstolo que trazia a outra espada também tenha ferido alguém. Os Evangelhos não registrarão, mas não quer dizer que não tenha acontecido. Ou será que o outro apóstolo armado enfiou a espada no saco e fugiu com medo?

Algo parecido será escrito nos Evangelhos.

Fugiram todos!

Sim, como Jesus previu.

Até mesmo Pedro?

Ao que tudo indica, depois de lutar, o apóstolo não resistiu ao tamanho da tropa que os sacerdotes enviaram para levar Jesus. Fugiu também. E agora, ainda que esteja seguindo a corja sacerdotal para ver no que tudo isso vai dar, irá negá-lo. Três vezes. Antes que o galo cante.

Ainda no meio da confusão, um jovem seguidor de Jesus saiu correndo, sem roupas, sem que nos digam seu nome, envolvido apenas por um lençol. Foi agarrado pelos guardas, mas escorregou pela sujeira de suas mãos e saiu correndo, como veio ao mundo, desaparecendo dele, anônimo, para sempre. Será uma lembrança da nudez do profeta Isaías como uma referência discreta numa literatura épica? Ou esse último discípulo simbolizará a sem-vergonhice eterna dos desertores?

Antes de qualquer coisa, façamos justiça. Pedro fugiu dos guardas, mas não abandonou Jesus. Acompanhou tudo de longe e acabou chegando também ao palácio do sumo sacerdote. Difícil de entender como foi que conseguiu se disfarçar tanto a ponto de, pelo que dirão os Evangelhos, sentar-se com os guardas diante da fogueira. E é aí mesmo que ele vai ficar, se aquecendo nas chamas enquanto vive seu pequeno inferno? O Evangelho de Mateus dirá que Pedro está disfarçado entre os empregados do sacerdote, no pátio onde vai acontecer o julgamento de seu mestre. Faz sentido pensar que ele se aqueceu no fogo e, quando viu uma porta se abrindo, sem que galo ou galinha cantasse, resolveu entrar. Pedro ficará no tribunal até o fim do julgamento. Será testemunha da sentença de Jesus.

39 | TRIBUNAL RELIGIOSO

Na mesma época em que subiu ao monte Sinai para receber as tábuas com os mandamentos, de acordo com as escrituras judaicas, Moisés recebeu de Deus também as instruções para criar um tribunal em que os homens mais velhos da comunidade, apenas os homens, seriam juízes. Conta-se, inclusive, que Deus desceu de uma nuvem e colocou naqueles homens *o Espírito que repousava sobre ele.*[264] Mas agora Deus parece ausente. Ao menos será assim que os seguidores de Jesus entenderão quando condenarem esses juízes a uma sentença sem perdão, acusando-os de assassinos, da mesma forma como acusarão, injustamente, todo o povo judeu. Os relatos dos evangelistas nos deixarão confusos.

A reunião do conselho de juízes religiosos para julgar Jesus acontece numa noite de Páscoa, e isso contraria a regra que diz que eles deveriam encerrar as atividades ao meio-dia desse dia de celebrações. Além disso, o depoimento que vamos ouvir agora, pelo que nos dirão, está sendo tomado na casa de Caifás, o sumo sacerdote. Ou melhor, em seu palácio, pois sabemos muito bem de suas riquezas e suas relações espúrias com o poder romano, o que lhe permite uma vida de sultão, com empregados e empregadas a servir-lhe enquanto ele serve a Deus.

MATTHIAS STOM
CRISTO PERANTE CAIFÁS
(C. 1633)
Museu de Arte de Milwaukee,
Estados Unidos

Então, o julgamento de Jesus não acontece com uma reunião do Sinédrio completo? Ou os sacerdotes, escribas e anciãos que formam o tribunal foram chamados em suas casas, depois de comerem o cordeiro da Páscoa com suas famílias, para tomar tão importante decisão?

Para confundir um pouco mais o leitor, o Evangelho de João dirá que o palácio onde acontece o julgamento é de Anás, também chamado sumo sacerdote, antigo ocupante do cargo, sogro de Caifás. Apressemo-nos a entrar, assim mesmo, sem saber direito onde estamos, pois o julgamento está começando.

O apóstolo Pedro está em meio aos empregados do sumo sacerdote, e nos relatará os detalhes.

Talvez haja outro apóstolo por perto.

Não temos certeza.

Os juízes saduceus e fariseus parecem já ter decidido a sentença que querem impor ao Nazareno. A julgar pelo que estão dizendo, não ficarão satisfeitos enquanto não conseguirem matá-lo. Só lhes estaria faltando aquilo que os advogados um dia chamarão de aquisição de provas.

Testemunhas nos contarão que muitas pessoas se dispuseram a depor contra o réu. Mas os depoimentos nem sempre coincidem. Há, no entanto, duas pessoas que se lembram do que Jesus disse alguns dias antes, quando estava no pátio do Templo.

– Nós mesmos ouvimos ele dizer: "Destruirei este Templo construído pela mão dos homens e, em três dias, construirei outro que não será feito pelas mãos dos homens."[265]

Não foi exatamente isso que Jesus disse. Mas assim são depoimentos: humanos, falhos como os humanos. Alguns dias antes, o réu disse que não restaria pedra sobre pedra no Templo comandado por esses mesmos homens que agora o estão julgando. Disse também que reconstruiria tudo em três dias. Mas, pelo que sabemos, jamais insinuou que ele próprio demoliria o Templo sagrado onde todos os presentes ao julgamento acreditam que há um lugar santíssimo que serve de moradia a Deus. Agora, no entanto, diante desses juízes desprovidos de justiça, Jesus está calado.

– Você não responde nada ao que essas pessoas estão testemunhando

contra você? – Caifás pergunta, querendo pressionar o réu, mas ele continua calado. – *Diga-nos se você é o Messias, o filho do Bendito!* [266]

O sumo sacerdote usa a palavra Bendito como sinônimo de Deus, pois não deve dizer o nome *Dele* em vão. Insiste em arrancar uma confissão de culpa, e Jesus finalmente decide falar.

– *EU SOU!* – ele diz, fazendo muito mais do que uma mera confissão de culpa, pois, no judaísmo, *Eu Sou* são palavras usadas por Deus: aquele que é, sempre foi e sempre será, conforme todos neste tribunal sabem que está escrito no livro do Êxodo, no momento em que Moisés pergunta ao Bendito com que nome deverá apresentá-lo ao povo judeu. *Assim dirás aos israelitas: "Eu Sou me enviou até vós"*, teriam sido as palavras divinas, agora relembradas pela resposta de Jesus.

O Evangelho de João dirá ainda que Jesus usou essas mesmas duas palavras fortíssimas para falar aos homens que chegaram para prendê-lo, horas antes, derrubando todos no chão apenas com seu poderoso *Eu Sou!*

Então Jesus anda blasfemando, dizendo que é o próprio Deus? Ainda que existam indícios, não está claro. E ele prossegue.

– *EU SOU... E vocês verão o filho do Homem sentado à direita do Poder, e chegando com as nuvens do céu.*[267]

Jesus agora esclarece: é o filho de Deus, e estará a seu lado no céu, e fará também cumprir-se a profecia de Daniel, que já conhecemos, mas lembramos, pois lembrar não custa, a profecia que falava de uma visão noturna, *vindo sobre as nuvens do céu, um como filho do Homem*, uma visão messiânica, evocada mais uma vez pelas palavras atribuídas a Jesus.[268]

É nesse momento que Caifás se sente pronto para condená-lo. Rasga suas vestes sacerdotais – suas roupas verdes, vermelhas e pomposas – e esbraveja.

– *Que necessidade ainda temos de testemunhas? Vocês ouviram a blasfêmia!* – Podemos imaginar um breve silêncio antes que ele cobre uma postura dos outros juízes. – *O que pensam?* [269]

Nossas testemunhas infiltradas no primeiro julgamento de Jesus dirão que a decisão é unânime, e a sentença, como esperávamos, é a pena

JOSÉ DE MADRAZO Y AGUDO
JESUS NA CASA DE ANÁS (1803)
Museu do Prado, Espanha

de morte. Mas como Roma não dá aos sacerdotes o poder que só ao destino ou a Deus deveria caber, ainda será preciso pedir a condenação de Jesus num tribunal civil.

E não se espantem: a Justiça, aqui, falha, mas não tarda. O réu não tem direito a advogado nem apelação. E o que for decidido, sendo ordem chancelada por sua divindade, o imperador, imediatamente será cumprido.

Como se estivessem certos de que o prefeito romano decidiria pela sentença de morte por crucificação ou apedrejamento, como se tivessem o consentimento da maior autoridade religiosa da Judeia, muitos daqueles que assistiam ao julgamento, e também os que aguardavam do lado de fora do palácio, começaram a atacar Jesus.

Cuspe no rosto é a menor das agressões.

Algum desajustado ainda resolve cobrir o rosto de Jesus com um pano para que as pessoas possam dar-lhe socos.

Sim, pelas costas também.

Até os guardas dos sacerdotes, os mesmos que prenderam Jesus, até eles agora abusam do condenado e dão-lhe tapas na cara.

– *Profetiza!* – alguém grita, debochando da pregação do homem que em breve morrerá, não tanto por seus atos, mas justamente por suas palavras.[270]

Quando foi criado, muitos séculos antes desse dia de vergonhas, o Sinédrio recebeu ordens para ouvir os depoimentos dos réus sem distinção, de maneira equilibrada, sem temer ninguém, pois *a sentença é de Deus*.[271]

O que houve dessa vez?

Deus não esteve presente ao julgamento?

O conselho formado pela elite religiosa da Judeia errou ao condenar Jesus? Ou, de fato, as palavras do pregador feriram profundamente as leis que os ditos juízes têm a obrigação de defender? Será que foi o tumulto que Jesus criou no Templo, perturbando os negócios e as finanças dos homens na casa de Deus?

Estudiosos verão todas essas razões, e certamente algumas outras, para que os poderosos de Jerusalém desejassem se livrar do homem que muitos diziam ser um profeta, que seus seguidores chamavam de Cristo, o homem que, apesar dos tapas, socos e cuspes, será, ainda por muitos e muitos anos, o mais amado da História.

40 | PEDRO E O GALO

Podemos imaginar que a noite está avançando, pois logo, logo o galo irá cantar. Talvez ele ainda cante no escuro, sem o mínimo sinal de sol no horizonte. Mas é certo que irá cantar porque nesta noite, muito mais precisamente neste instante que chega logo depois da primeira condenação de Jesus, o galo que vive nos quintais do palácio de Caifás, ou logo atrás, terá uma missão importantíssima a cumprir.

Faz pouco tempo que o julgamento terminou. Pedro ainda está no pátio se aquecendo no foguinho dos guardas, quando uma empregada do sacerdote, talvez a mesma que nos dirão que terá aberto a porta para que Pedro entrasse, decide desmascarar o apóstolo.

– *Você não estava com o Nazareno... com Jesus?* – Podemos imaginar que ela tenha dito isso com desprezo, pois Jesus acaba de passar por ali, tripudiado pelos homens que o cercavam.[272]

– *Não sei... nem entendo o que você está me dizendo* – Pedro respondeu, pela primeira vez negando o mestre, exatamente como Jesus havia previsto.[273]

Pedro desistiu de se aquecer e caminhou um pouco, indo aonde havia um outro pátio. Ali, o galo cantou pela primeira vez. E a empregada,

CARL HEINRICH BLOCH
A NEGAÇÃO DE PEDRO
(1873)
Palácio de Frederiksborg,
Dinamarca

JAMES TISSOT
A SEGUNDA NEGAÇÃO DE PEDRO (1886-94)
Museu do Brooklyn, Estados Unidos

talvez alarmada pelo canto do galo, talvez querendo que dessem a Pedro o mesmo fim que pensava ser merecido por Jesus, não o deixou em paz, e começou a falar mais alto, chamando a atenção de quem estava por perto.

– *Este é um deles!*

É possível que tenha gritado também alguma coisa como *venham prendê-lo... é* culpado dos mesmos crimes do outro *contra nosso amado sacerdote!*, mas isso, ou qualquer outra coisa nesse sentido, não será anotado na narrativa bastante resumida que os Evangelhos nos apresentarão sobre este episódio marcante. Fato é que Pedro o negou de novo.

Imaginamos o alarde que o cacarejo da empregada criou entre os que ainda estavam ali, certamente cansados depois de uma noite em que comeram o cordeiro da Páscoa e ainda foram testemunhar um julgamento, noite fria, pois os guardas não apagam aquele fogo.

– *É verdade... você é um deles... você também é galileu!*

– *Por acaso eu não vi você com ele no jardim?* – perguntou um escravo do sumo sacerdote.[274]

E nos dirão que Pedro *começou a amaldiçoar*. Mas amaldiçoar o quê...

JAMES TISSOT
A TERCEIRA NEGAÇÃO DE PEDRO (1886-94)
Museu do Brooklyn, Estados Unidos

ou quem? Podemos imaginar que o apóstolo tenha dito alguma barbaridade sobre o próprio mestre, para convencer o povo que se aglomerava ao seu redor a não entregá-lo aos guardas, e muito menos apedrejá-lo até a morte como se sabe que muita gente nesta terra tem o costume de fazer, mas podemos imaginar também que ele apenas murmurou umas palavras desagradáveis, como quem diz *me deixem em paz, seus desgraçados.*

Foi quando Pedro negou Jesus pela terceira vez, querendo livrar a própria pele.

– *Não conheço esse homem de quem vocês falam!* [275]

Tudo indica que, mesmo desconfiados, os empregados do sumo sacerdote, entre os escravos e os mal remunerados, todos eles aceitaram a negação de Pedro, pois o deixaram vivo para ouvir o galo cantar pela segunda vez.

Jesus estava certo.

Podemos imaginar Pedro chorando sozinho, ou compartilhando sua culpa com o discípulo anônimo que nos dirão que também andou se escondendo no pátio. O que temos certeza é de que o galo de Caifás, ou do vizinho, sabe-se lá, cumpriu seu papel de galo. Cantou duas vezes alertando para o horror que estava a caminho.

Dirão que terá sido um pouco depois disso que Judas terá se arrependido da traição de *sangue inocente,* atirando as moedas de prata recebidas como pagamento para dentro do Templo e se enforcando.[276]

SEXTA-FEIRA

A SALVAÇÃO

CARAVAGGIO
A COROAÇÃO COM ESPINHOS (1605)
Museu de História da Arte de Viena, Áustria

PETER PAUL RUBENS
ECCE HOMO (1612)
Museu Hermitage, Rússia

41 | JESUS, O NAZARENO, REI DOS JUDEUS

O sangue dos cordeiros continua escorrendo pelas ladeiras de Jerusalém. E o cheiro ácido continua empesteando tudo, a tal ponto que os que chegaram alguns dias antes já nem percebem que é a aura da morte que rodeia a todos. Mas agora é muito cedo, o galo que cantou para Pedro continua cantando, e o povo continua chegando para celebrar a Páscoa. Ainda que os rituais sejam dedicados a Deus, os ouvidos não têm como não ouvir os cordeiros e novilhos berrando antes de serem esquartejados, e os olhos não têm como não ver o sangue que escorre pela areia e pelas pedras em que todos pisam enquanto seguem os seus destinos.

Jesus, no entanto, não tem escolha. Suas mãos estão amarradas. Segue pelo caminho que lhe é imposto pelos guardas do Templo, e eles o conduzem ao pretório, nome que os romanos dão ao lugar onde deveria ficar o pretor, uma espécie de governador e juiz, ainda que em nosso caso o poderoso Pôncio Pilatos tenha merecido apenas o título de prefeito da Judeia, pois assim o imperador desejou.

O homem que ganhará a fama eterna por lavar suas mãos não costuma sujá-las com a poeira de Jerusalém. Prefere a praia, onde passa a maior parte do tempo, na agradabilíssima Cesareia Marítima, que afinal é a capital de onde os romanos administram a Judeia, que é também a cidade mais desenvolvida, construída poucos anos atrás por ordens do pai de Herodes Antipas, cidade tão moderna e completa que faz Pilatos se sentir como se estivesse em Roma.

De Cesareia o prefeito pode viajar ao Egito e à Grécia, ou mandar trazer luxo e cultura de lá. Na cidade mediterrânea há casas de banho termais, um teatro, templos pagãos e até um circo romano onde gladiadores se enfrentam para entreter o prefeito que está ali para impor as ordens do imperador Tibério, até porque Pilatos não quer o mesmo fim de Arquelau, o homem que não era mais que uma quarta parte de rei, deposto por incompetência, levando a uma intervenção romana na terra que um dia foi somente do primeiro Herodes, o Grande, esse sim merecedor do título inteiro e impróprio de rei dos judeus.

Em Cesareia Marítima há também uma vista belíssima para o mar, o que permite ao prefeito viver de frente para o Mediterrâneo, ainda que não possa jamais dar as costas para os problemas constantes que seus governados lhe causam em Jerusalém. Em temporadas mais complicadas, como o são todas as Páscoas, Pilatos não vê alternativa. Abandona o mar, passa pelo balneário que um dia será Tel Aviv, atravessa o deserto montanhoso e vai se acomodar no palácio que um dia foi do grande Herodes, enfim, o pretório onde Jesus acaba de chegar.

É na sacada do palácio que imaginamos Pilatos, pois será assim que os Evangelhos nos descreverão a cena.

Podemos vê-lo também com suas vestes compridas e brancas, e também vermelhas, bem romanas, com metais a lhe proteger as partes vitais, investido de *praetorium imperium*, o poder imperial que lhe cabe neste momento.

Estima-se que são seis ou sete da manhã.

Pilatos mal acordou e já tem um problema. Os sacerdotes judeus chegaram afobados, dizendo que tem ali um criminoso, e logo de cara mentindo.

– Encontramos este homem subvertendo o nosso povo e impedindo que se pagasse imposto a César, dizendo que ele é o Messias, um rei.[277]

DISCÍPULO DE HIERONYMUS BOSCH
CRISTO PERANTE PILATOS (C. 1520)
Museu de Arte da Universidade de Princeton, Estados Unidos

Os sacerdotes fazem, provavelmente, uma referência à lei de Moisés, pois conhecem muito bem a escritura que os alerta para *quando surgir em teu meio um profeta... e te apresentar um sinal ou prodígio...* não usarem de misericórdia, pelo contrário, se esse homem estiver *subvertendo o povo, matá-lo... tua mão será a primeira a matá-lo, e a seguir a mão de todo o povo...* pois o povo deverá apedrejá-lo até que morra.[278]

Mas como na província da Judeia os sacerdotes perderam o direito de executar a pena de morte, são obrigados a se sujeitar ao prefeito romano, e gentilmente pedir que ele condene o homem que gostariam de apedrejar. Mas Roma não matará com pedras. Preferirá um modo mais moderno e torturante. Quando Jesus for condenado por desafiar o poder do imperador, morrerá na cruz, coisa aliás tão comum que os ossos de outros condenados vão ficando espalhados pelo monte Gólgota à espera dos próximos ossos, para aumentar as montanhas.

JAMES TISSOT
JESUS PERANTE PILATOS, PRIMEIRA ENTREVISTA (1886-94)
Museu do Brooklyn, Estados Unidos

– *É você o rei dos judeus?* – Pilatos pergunta.[279]

Podemos imaginar, diante do prefeito, um homem machucado, exausto, que provavelmente passou a noite sem dormir, rezando e refletindo sobre as consequências daquele julgamento no Sinédrio, tão apressado quanto injusto, e agora tendo que responder à ironia do prefeito, que sem dúvida o ridiculariza ao indagar como alguém naquele estado pode querer ser chamado de rei.

Pilatos tenta medir o tamanho da ambição de Jesus.

Seu crime é só religioso?

Ou também contra Roma?

Anda mesmo dizendo ao povo que é rei?

– *Você o está dizendo* – Jesus responde, usando estratégia parecida à que usou com os escribas no Templo, querendo devolver a Pilatos a responsabilidade pelo que disse, sem necessariamente negar o que acaba de ouvir.[280]

Mas o prefeito não se abala nem entra no jogo.

– *Você não responde nada?* [281]

Jesus silencia. Pelo que nos dirá o Evangelho de Marcos, não falará mais uma única palavra até o momento em que estiver na cruz. Mas nada é tão simples. Evangelhos nem sempre coincidem. E sobre este momento, por exemplo, o Evangelho de Lucas dirá algo que os outros não dirão, que, por ordem de Pilatos, Jesus está sendo levado ao rei Herodes Antipas, que por acaso também está em Jerusalém. É ele quem manda na Galileia, onde afinal teria acontecido grande parte dos crimes de que Jesus está sendo acusado.

O Evangelho de Lucas nos remeterá mais uma vez a João Batista. Foi Herodes Antipas quem mandou cortar a cabeça do antecessor de Jesus. E depois acabou se assustando, pensando que Jesus fosse João ressuscitado, de tão parecidos os dois. Agora, no entanto, cabeças frias, o rei fica feliz ao ver Jesus. Queria muito conhecê-lo, afinal.

Em vez de condená-lo de imediato, o rei, talvez pensando estar num circo romano, pede a Jesus que faça algo de sobrenatural, algo que possa diverti-lo nesta manhã de sexta-feira. Lucas não anotará, mas podemos imaginar Herodes Antipas dizendo algo como *faça um milagre para animar meu dia, mostre-me seus poderes!*

Jesus nunca demonstrou seus poderes quando esteve sob pressão, e mais uma vez não fez milagres nem disse nada. Herodes Antipas, então, encheu Jesus com perguntas. Mas o réu silenciou outra vez. Não havia advogado ou coisa parecida que o defendesse, e os sacerdotes se encarregaram da acusação.

Ao que tudo indica, o rei se cansou, e não levou nada a sério. Continuava à procura de entretenimento. Mandou cobrir Jesus com uma *túnica esplendorosa*, ridicularizando aquele que era acusado de andar por suas terras proclamando-se rei, e ainda por cima *rei dos judeus*, o título que o próprio Herodes não conseguiu herdar de seu pai. Vestido com uma roupa de luxo, cansado, abatido, desprezado e ironizado, Jesus foi mandado de volta a Pôncio Pilatos.

Será logo em seguida que os quatro Evangelhos irão inocentar o representante de Roma.

– *Vocês me trouxeram esse homem como se ele andasse criando revoltas entre o povo... Acontece que, interrogando-o diante de vocês, eu não encontrei nele nenhum dos crimes de que vocês o acusam* – Pilatos diz aos sacerdotes judeus.[282]

O prefeito diz, inclusive, que vai mandar açoitarem Jesus e depois soltá-lo. Mas os sacerdotes querem sua morte. E é isso que pedem também os outros judeus que os acompanham – um grupo que provavelmente só entrou no pretório porque as autoridades religiosas conseguiram abrir-lhes as portas, e que certamente não é o mesmo grupo de judeus da Galileia que aclamou Jesus em sua entrada triunfal alguns dias atrás.

Pelo que os Evangelhos nos levarão a entender, Pilatos cede à pressão e decide acatar o pedido dos sacerdotes. Mas, como nem ele nem Herodes Antipas constataram qualquer crime contra Roma, nada que pudesse justificar aquela condenação, Pilatos tenta evitar a morte de Jesus, mais uma vez.

– *Quem vocês querem que eu liberte: Barrabás ou Jesus, chamado Cristo?* [283]

Coincidência...

Barrabás em aramaico significa *filho do Pai*. Será que estão mais uma vez ironizando aquele que se apresenta como filho de Deus? Mas quem faria isso? Pilatos? Os autores dos Evangelhos? Ou a ironia é do destino?

O que se dirá é que Barrabás é um revolucionário conhecido, preso por desafiar os poderes de Roma e também por um assassinato. Não seria um absurdo os sacerdotes judeus preferirem salvar um assassino a um pregador que não usa de violência e que, pelo contrário, prega antes de tudo o amor ao próximo? Absurdo ou não, assim ficará registrado na História.

Pelo que dirá o Evangelho de Mateus, há ainda uma outra personagem nesta cena. Cláudia, a mulher de Pilatos, está a seu lado, tentando convencê-lo a salvar Jesus.[284]

– *Não faça nada contra esse homem justo... Sofri muito hoje num sonho por causa dele.*[285]

Mas Cláudia é apenas uma coadjuvante, e não terá o poder de mudar o destino.

– *Quem vocês querem que eu liberte?* – Pilatos insiste, aparentemente ignorando os sonhos de sua mulher.[286]

Os sacerdotes estão incitando aqueles que assistem ao circo de Pila-

ALPHONSE FRANÇOIS A PARTIR DE GUSTAVE DORÉ
O SONHO DA ESPOSA DE PILATOS (C. 1879)
Library of Congress, Estados Unidos

tos a pedir a libertação de Barrabás. E a resposta, pelo que nos contarão, vem em coro.

– *Barrabás... Barrabás!*

– *O que faço então com Jesus?*

– *Crucifica ele!*

– *Mas que mal ele fez?* – Pelo que os Evangelhos dirão, essa terá sido mais uma tentativa do prefeito romano de salvar Jesus, abrindo caminho para que os primeiros teóricos da Igreja digam que ele se converteu ao cristianismo e, indo mais longe, para que algumas Igrejas cristãs transformem Pôncio Pilatos e sua mulher, Cláudia Prócula, em santos.

Há ainda um diálogo forte entre Pilatos e Jesus, que só estará no Evangelho de João, acrescentando detalhes que os outros evangelistas ou desconhecerão ou decidirão omitir.[287]

– *Você pensa que eu sou judeu? O seu povo e os sumos sacerdotes entregaram você a mim. O que é que você fez?*

– *O meu reino não é deste mundo... Se meu reino fosse deste mundo os meus guardas teriam lutado para que eu não fosse entregue aos judeus.*

As palavras atribuídas a Jesus soam estranhas.

Como é possível que ele, um judeu profundamente ligado à sua religião, se distancie tão profundamente do judaísmo dizendo que foi *entregue aos judeus*? Ou será que a fúria contra os judeus virá mais tarde, no momento em que o Evangelho de João for escrito, quando cristãos e judeus já estarão em pé de guerra?

– *Então... você é rei?* – Pilatos parece finalmente encontrar uma prova de que os sacerdotes não estão mentindo por completo.[288]

– *Você está dizendo que eu sou rei. Eu nasci para isso e para isso vim ao mundo, para dar testemunho da verdade. Todo aquele cujo ser é da verdade ouve a minha voz.*[289]

– *O que é a verdade?* – Pilatos questiona Jesus, com uma pergunta de fato profunda e pertinente. E depois de filosofar volta a falar aos que o esperam no pátio.

– *Não encontro qualquer culpa nele.*[290]

– *Crucifica... crucifica!* – a multidão insiste.

Pilatos não está disposto a contrariar os sacerdotes com quem mantém um pacto de colaboração antigo e muito útil à ordem romana. Manda soltar Barrabás.

Jesus, ainda com as mãos atadas, é açoitado pelos guardas. É o procedimento. Antes da crucificação, o prisioneiro é enfraquecido, e já começa a sangrar. A ironia dos carrascos, no entanto, parece imune ao sangue alheio, e os soldados romanos continuam debochando do homem que anuncia o Reino de Deus.

Por que será que jamais serão culpados pelos cristãos? Por que apenas os judeus carregarão toda a culpa pela morte de Jesus? Será bajulação ao Império Romano? Será porque a sede mais importante do cristianismo estará em Roma? Racismo? Antissemitismo? Antropólogos e historiadores terão muito trabalho para entender a discriminação entre os dois grupos de assassinos do Cristo ao longo dos dois mil anos que se seguirão a esse circo de escárnio que estão fazendo com Jesus.

A essa altura imaginamos que alguma túnica guardada para as visitas do imperador Tibério lhe foi tomada de empréstimo, pois os soldados de Pilatos vestem Jesus com um manto púrpura, exatamente a mesma cor que é usada pelos reis, e que um dia será usada pelos papas como símbolo de penitência e esperança.

NIKOLAI GE
O QUE É A VERDADE? (1890)
Galeria Tretyakov, Rússia

Mas, se é mesmo um rei, falta-lhe a coroa.

E essa não será de ouro.

Tragam os espinhos!

– *Ave! Ave, rei dos judeus!* – A tradução seria *salve, salve o rei dos judeus*, mas o original em latim explica melhor: enquanto espancam o homem que Pilatos lhes entregou, os soldados romanos debocham mais um pouco, referem-se a Jesus como se estivessem diante do imperador. *Ave, César...* é o que lhe diriam, sem a menor ironia, sem cuspir em seu rosto.[291]

Comportando-se como vândalo, ou imbecil, como se não tivesse qualquer inteligência em seu cérebro romano, um dos soldados usa um bastão para bater na cabeça de Jesus. Outros se ajoelham diante dele, como fariam a César, mais uma vez ironizando suas pretensões de realeza. Que mais podem fazer para debochar de um homem?

Basta! Alguém deve ter dado a ordem, talvez Pilatos, querendo acabar com a palhaçada dos soldados, pois eles logo tiram a túnica púrpura de cima de Jesus e lhe devolvem as roupas que vestia quando foi preso no Monte das Oliveiras, ou talvez uma parte dessas roupas, apenas para cobrir-lhe o que não se deve mostrar.

O Evangelho de João nos dirá que depois de tudo isso Jesus é apresentado mais uma vez ao lado de Pilatos, no alto do palácio, no lugar chamado Gábata, para a sentença final.

– *Ecce homo! Aqui está o homem!* – Terão sido as palavras de Pilatos ao mostrar o condenado completamente machucado e humilhado por seus soldados.[292]

Diante do silêncio de Jesus, o prefeito o questiona, quase que tentando uma aproximação, como se falasse baixo para que a multidão não ouvisse.

– *Por que você não me responde? Não sabe que tenho poder para libertá-lo e poder para crucificá-lo?* [293]

– *Você não teria qualquer autoridade sobre mim se ela não tivesse sido dada de cima. Por isso, quem me entregou a você tem mais culpa.* – Ao atribuir essa frase a Jesus, o Evangelho de João contribuirá para um problema enorme: cristãos perseguirão e muitas vezes matarão judeus por entender que Jesus Cristo os responsabilizou por sua morte.[294]

O Evangelho de Mateus será o único que nos contará o detalhe que se tornará emblemático desse grande momento. Ao mandar seus soldados crucificarem Jesus, o prefeito Pilatos pede que lhe tragam água... lava suas mãos.

– *Estou inocente deste sangue.*[295]

Ainda que tenha alegado inocência e por diversas vezes tentado dar voz a Jesus, como se estivesse desejando salvá-lo, Pilatos será o autor da última grande ironia desta manhã tenebrosa.

Como é costume, alguém deverá talhar numa tabuleta o crime que o condenado cometeu para que fique visível a todos que o virem pregado na cruz. Faz parte do terrorismo de Estado promovido pelos romanos. Sem poder chamá-lo de revolucionário, agitador, assassino, bandido, ladrão ou terrorista... seguro de que suas mãos estão limpas... Pôncio Pilatos achou por bem dizer ao povo que o crime de Jesus era ter se intitulado rei dos judeus.

Os sacerdotes não gostam, querem mudar a frase para deixar claro que ele apenas *diz* ser um rei, sem que de fato o seja. Mas o prefeito se cansou das chorumelas sacerdotais.

– *O que escrevi, escrevi.*[296]

E assim ficou escrito em hebraico, latim e grego, para que não restasse dúvida a ninguém.

Jesus, o Nazareno, rei dos judeus.

O Nazareno, no entanto, ainda irá viver a pior parte de seu calvário. A crucificação vai ser fora dos muros de Jerusalém, e será preciso percorrer uma via-crúcis para chegar até lá.

42 | SOBRE UMA MONTANHA DE ESQUELETOS

Eram aproximadamente nove da manhã quando a procissão saiu do pretório, onde Pilatos já estava provavelmente cuidando de outros problemas, para atravessar os muros da cidade, tomando a direção do que o povo conhece como Gólgota, o lugar aterrorizante que se traduz como *Lugar da Caveira*, mais tarde rebatizado de monte Calvário. A sexta-feira será longa, e cada pequeno acontecimento será eternizado em palavras, pinturas e esculturas, algumas das mais importantes da História da humanidade. Mas, obviamente, ninguém aqui está pensando nisso quando os soldados romanos param um homem que passava por perto, um coitado tirado da rua ao acaso, que vinha de longe com os filhos, e que não teve o direito de recusar a cruz que o entregaram. Não porque fosse a cruz de Jesus, pois, vindo de Cirene, onde um dia será a Líbia, dificilmente conheceria aquele pregador condenado. Simão recebeu aquela tora sobre os ombros porque uma ordem recebida com a lança no peito não é coisa que se possa recusar.

Marcos, Mateus e Lucas, os três Evangelhos que, por trazerem a mesma visão, a mesma ótica, serão chamados sinóticos, dirão a mesma coisa: Simão vai carregar a cruz durante todo o percurso. E podemos imaginar

TICIANO
CRISTO CARREGANDO A CRUZ (C. 1565)
Museu do Prado, Espanha

que a razão para que lhe peçam ajuda tão grande é o estado terrível em que Jesus se encontra. Foi espancado na saída do palácio do sacerdote Caifás, provavelmente passou a noite em claro, levou pancadas na cabeça dos mesmos soldados que agora o conduzem, traz uma coroa com espinhos perfurando-lhe a testa e as têmporas, está todo ensanguentado, sem se alimentar, suado, e dificilmente tem alguma força para carregar quarenta, talvez cinquenta quilos de madeira. O Evangelho de João, no entanto, acrescentará dramaticidade à cena, dizendo que o próprio Jesus vai pelas ruas de pedra, provavelmente se arrastando, carregando a tora onde pregarão suas mãos no alto da cruz.[297]

Podemos imaginar agora o cenário desolador.

Um grupo de mulheres, muitas delas de nome Maria, uma, a que sabemos ser sua mãe, outra a Madalena, causa de ciúmes apostólicos, todas chorando ao pensar que já não há nada que elas, ou mesmo Deus e seus anjos, possam fazer.

J. GAUCHARD BRUNIER A PARTIR DE GUSTAVE DORÉ
CRUCIFICAÇÃO DE JESUS (1866)
Bíblia Sagrada

Jesus está completamente exausto e enfraquecido aos pés das hastes de madeira onde os soldados o pregarão, e também perante os outros homens, a quem chamarão de ladrões, acusação improvável, pois a cruz é reservada aos escravos e aos criminosos maiores, criadores de desordem, amotinadores, revolucionários, ou qualquer outra coisa que ouse ameaçar o poder de Roma, como os sacerdotes judeus disseram que Jesus andou fazendo.

Diante desse sofrimento incomum, alguém está oferecendo analgésico a Jesus. Querem lhe aliviar as dores, não só as que ele já sente, mas as que ainda estão por vir, principalmente quando os pregos entrarem em suas mãos, quando a dor chegar perto do insuportável e ele duvidar até mesmo do caminho tortuoso escolhido por Deus.

Dirão que a mistura que lhe oferecem é de vinho com bile, ainda que não exista nada de analgésico na amargura terrível do líquido esverdeado que sai do fígado de humanos e de alguns animais, também chamado de fel. O ato lembra mais uma vez as escrituras judaicas, pois muito antes desse dia, conforme se escreveu nos Provérbios, a mãe do rei Lemuel mandou dar *vinho aos amargurados*, para que se esquecessem da miséria e não se lembrassem de suas penas.[298]

E é fato notório que, inspiradas no provérbio citado, mulheres judias, algumas delas muito ricas, costumam oferecer analgésicos aos condenados, como um ato de caridade, acreditando que a bebida amarga acalma os nervos e funciona como sonífero. A mistura típica tem vinho, bile e mirra – a famosa resina de árvore, tão valiosa, medicinal e cheirosa, que dirão ter sido um dos presentes dos visitantes magos ao filho recém-nascido de Maria, quando ninguém imaginava a cruz que lhe caberia.

Jesus ainda chega a provar daquela amargura. É o que dirão os Evangelhos, deixando margem à acusação grave que um certo grupo de estudiosos fará mais tarde a Jesus, afirmando que ele teria tramado a própria morte, que estaria tudo combinado com José de Arimateia, e que esse líquido é um sonífero poderoso que faria Jesus ao mesmo tempo aguen-

tar a dor e renascer quando fosse retirado da cruz. Se houver sentido em tal pesquisa, o que se estará dizendo é que Jesus jamais ressuscitará, pois não morrerá nessa cruz. Mas a teoria que causará fúria e polêmica, e venderá muitos livros, carecerá de fundamentação histórica, soará como oportunismo, ou teoria conspiratória.

O que sabemos pelas fontes mais próximas do fato é que Jesus prova, mas não bebe da tal mistura de vinho, mirra e bile. Não chegou até aqui por acaso. Quer conhecer seu sofrimento por inteiro. Afinal, se Deus o levou até a cruz, é para sentir o sofrimento humano em toda a sua essência, sem qualquer coisa que o amenize. E, assim como na tradição, é provavelmente uma mulher quem oferece o analgésico a Jesus.

Quem mais desejaria atenuar o sofrimento do Nazareno? Quase todos os apóstolos sumiram. São as mulheres que protagonizam os momentos finais da vida de Jesus.

Se lermos de maneira literal cada palavra que estará nos Evangelhos, pensaremos que as mulheres assistiram, provavelmente, aterrorizadas, à cena protagonizada mais uma vez pelos soldados romanos, quando eles dividiram as roupas de Jesus e jogaram dados para saber quem ficaria com sua túnica de bom tecido. Estudiosos, no entanto, dirão que essa disputa dificilmente aconteceu. Ele traz roupas sujas, cheias de sangue, possivelmente rasgadas pela caminhada dificílima do palácio até o Gólgota. O Evangelho de João trará ainda um detalhe: a túnica de Jesus terá sido tecida de cima a baixo, sem uma única costura.

– Não vamos rasgá-la, vamos tirar a sorte sobre quem ficará com ela!

Haverá contradições nas escrituras, e isso é fato que ninguém discutirá. Muitas vezes um evangelista negará o dizer do outro, e em certos casos parecerá haver licenças poéticas para a inclusão de símbolos literários e referências religiosas. No caso da disputa pelas roupas, mais uma vez, o que os Evangelhos contarão será praticamente uma reprodução dos Salmos.

Bela poesia.

Trágica.

Cercam-me cães numerosos.
Um bando de malfeitores me envolve,

Como para retalhar minhas mãos e meus pés.
Posso contar meus ossos todos,
As pessoas me olham e me veem;
Dividiram as minhas roupas entre eles,
E sobre a minha túnica lançaram sortes.[299]

Apresenta-se aqui o trecho completo, pois apenas as duas últimas linhas serão lembradas pelo Evangelho.

A lógica da justiça romana se inverte, e os malfeitores ficam sendo os soldados que, agora, estão prendendo Jesus em sua cruz de madeira. Marcos, Mateus e Lucas não falarão nada sobre pregos. O mais comum é amarrar as mãos e os pés do condenado. Mas o Evangelho de João nos apresentará, num momento posterior, um diálogo em que o apóstolo Tomé dirá que, *a não ser que veja nas mãos dele a marca dos pregos*, não acreditará na ressurreição. E assim se escreverá na História.[300]

Os romanos pregaram Jesus.

Mãos e pés.

Tomé que o comprove!

HANS BALDUNG GRIEN
A CRUCIFICAÇÃO
DE CRISTO (1512)
Gemäldegalerie, Alemanha

43 | AOS PÉS DA SANTA CRUZ

Diante da cruz, inconsoláveis, podemos ver as três Marias como três estrelas que brilham aos olhos enevoados de Jesus. Uma delas é sua mãe. Faz tempo que não a vemos, mas, em hora tão importante, não poderia faltar. Não há dor maior do que essa e será por isso que um dia irão retratá-la em incontáveis obras de arte. A *Pietà* de Michelangelo será apenas a maior expressão. E os títulos que darão às representações de Maria serão tão reveladores como Nossa Senhora das Dores, Nossa Senhora do Amparo, das Lágrimas ou mesmo da Paixão, que aqui, em bom latim, sempre se deve entender como sofrimento, e não a paixão ardente dos enamorados.

Quando se perdeu do filho, no tempo em que ele ainda nem era adolescente, Maria demorou três dias para reencontrá-lo. Agora, não vai ter a mesma sorte. Muito em breve lhe contarão que ele apareceu ressuscitado, mas ela mesma não o verá. Ou ninguém nos contará que eles se viram. Quem testemunhará a ressurreição antes mesmo que os homens, segundo os relatos, é Maria Madalena, outra Maria que agora chora a morte de Jesus.

Quem assiste a essa crucificação dificilmente iria acreditar se contássemos que um dia se farão grandes ficções para desvendar códigos secretos com a suposição de que Madalena e Jesus tiveram um relacionamento amoroso e até mesmo fizeram filhos. Os beijos na boca que aparecerem em pergaminhos serão atirados às fogueiras. Dirão também, com muita veemência e machismo, que ela não passa de uma prostituta, pois como é possível que uma mulher, ainda mais aquela que chegou a Jesus com sete demônios, assuma papel tão importante na vida do homem mais amado da História? E, por fim, poucos reconhecerão que, muito provavelmente, a mulher que veio de Magdala e passou muito tempo acompanhando Jesus é uma de suas seguidoras mais importantes, certamente merecedora do título de *apóstola*, se é que nos permitirão usar palavra tão importante no gênero feminino.

Ao meio-dia, terminaram de pregar o corpo à madeira e subiram a cruz. Versões tardias do Evangelho de Lucas nos contarão sobre uma frase de Jesus que não aparecerá nas primeiras edições, e que outros não se lembrarão de contar. Mas a tradição cristã poderá ver o mestre dizendo estas palavras da maneira mais genuína possível.

– *Pai, perdoe-lhes, pois não sabem o que fazem!* [301]

A tabuleta de Pilatos está lá onde a imaginamos, acima de sua cabeça, informando em grego, latim e hebraico, não digam que não entenderam, que o crime do crucificado – crime político e religioso – foi ter andado por aí dizendo que era o rei dos judeus.

Jesus, no entanto, será muito mais do que isso. Seu reinado espiritual tomará conta de meio mundo, inclusive da mesma Roma que agora o está matando. Por enquanto, cabe a ele uma breve conversa com os outros dois crucificados, um de cada lado, o que nos faz supor que possa haver outros mais adiante, ainda que sentenciados na véspera, ou antevéspera, nesse mesmo monte cheio de esqueletos, pois os romanos não economizam nas cruzes, e nem lhes faltam revoltosos para dependurar, deixando que os corvos comam aquilo que os cachorros não alcançarem.

Os sacerdotes que condenaram Jesus vieram para fora dos muros de Jerusalém para ter certeza de que suas missões estão bem cumpridas. De novo, debocham do homem que está à beira da morte, coisa que seu Deus e sua ética judaica dificilmente permitiriam. Mas será assim a história que os homens nos contarão.

– Salvou outros... salve-se a si mesmo, se você é o Cristo Deus, o eleito! [302]

Jesus ainda está acordado, e certamente pode ver as cabeças indo e vindo ao redor de seus pés machucados, muita gente de alma desgraçada, cuspindo, aproveitando-se da fraqueza alheia.

– Por que você não se salva?

– Desce da cruz!

– Olha o que aconteceu com aquele que destrói o Templo e o reconstrói em três dias...

Jesus talvez esteja pensando que o Templo é seu próprio corpo, e que, sim, depois de três dias estará reconstruído diante dos apóstolos, ou só de Madalena, como acontecerá primeiro, ainda com chagas nas mãos para que Tomé não duvide de sua ressurreição.

Mas é cedo.

Jesus foi muito machucado, perdeu muito sangue, está prestes a desmaiar, e um dos condenados a seu lado se sente em posição confortável para ironizá-lo.

– Você não é o Cristo? Salve a você e a nós!

Os Evangelhos discordarão mais uma vez.

Marcos e Mateus dirão que os dois condenados o estão insultando. Lucas, no entanto, nos trará novos detalhes, contando que o outro, a quem chama de malfeitor, sem jamais dizer ladrão, repreende o primeiro condenado, querendo defender Jesus.

– Você não teme a Deus? Você, que está no mesmo suplício... Nós sofremos justamente, pois recebemos o castigo merecido... mas ele não fez nada de mau.[303]

Mesmo que não tenha cometido um único furto, o condenado que defende Jesus ficará conhecido como Bom Ladrão.

– Lembre-se de mim quando você entrar no seu reino! [304]

– Em verdade, digo a você... Hoje você vai estar comigo no paraíso.

O paraíso está distante.

Jesus e os dois condenados a seu lado, e as mulheres que choram por ele, ainda vão enfrentar as trevas. Mas, antes, ele entregará sua mãe aos cuidados de um discípulo, que o Evangelho que dirão ter sido escrito pelo apóstolo João nos levará a acreditar ser o mesmo João, sem que jamais se possa prová-lo.

– *Mulher, aí está o seu filho* – ele terá dito a Maria para logo em seguida se voltar ao discípulo.[305]

– *Aí está a sua mãe.* – Terão sido suas palavras ao apóstolo preferido, dando início a uma tradição que afirmará que Maria se mudará com João para Éfeso, onde viverá seus últimos dias terrenos.

Podemos imaginar quanto o corpo de Jesus está destruído. Ele não comeu nem dormiu direito. Faz horas que seu sangue escorre. O sol não perdoa. Os corvos voam e grasnam à procura de comida. Jesus não vai resistir muito mais do que isso. Precisa falar com Deus. Mas antes um fenômeno raro acontece.

Os Evangelhos contarão que exatamente ao meio-dia o sol desapareceu e a terra inteira ficou escura. Terá sido o cumprimento da profecia do apocalipse? Os apocalípticos acreditam que o fim dos tempos será exatamente como o dia da Criação, como está no livro do Gênesis, nas palavras fundadoras do judaísmo, explicação mitológica para a origem dos seres humanos, quando *a terra estava vazia e vaga, as trevas cobriram o abismo... Deus disse "haja luz"*. Mas no dia da crucificação, nos dirão, a luz só voltará a Jerusalém às três da tarde. Por enquanto, ficaremos no escuro, ouvindo Jesus dizer suas últimas palavras, triste com o sofrimento que lhe está sendo imposto.[306]

– *Eli, Eli, lama sabachtáni?* – Jesus parece mais humano que nunca, chamando por Deus, perguntando *por que me abandonou?*, lembrando mais uma vez os salmos que falam do lamento e da prece de um inocente perseguido que quer saber por que Deus o deixou, tão destruído em corpo e alma, ainda que possa estar seguro de que tudo isso precisava acontecer para que a humanidade se salvasse, ou como estará nos Evangelhos, para que se cumprissem as escrituras judaicas.[307]

Jesus está à beira da morte e diz *Eli*, que em hebraico significa exatamente *meu Deus*, mas há muito barulho, ele está cansado, e não o escutam direito, pois ele talvez tenha dito *Elahi* em aramaico, ou ainda *Elohim*, em hebraico, substitutos da palavra Deus, conforme todos sabem estar escrito nos livros antigos. Mas o povo que debocha do condenado parece entender errado, pensando que Jesus está chamando Elias, que muitos dirão ser o mesmo que João Batista, um a reencarnação do outro, dois profetas que antecederam e, de muitas maneiras, inspiraram Jesus.

– *Vamos ver se Elias vem tirá-lo daí!* [308]

E se os salmos de fato estão se cumprindo como profecias, precisamos entendê-los. No salmo que parece ter previsto a história de Jesus, o homem que se sente abandonado por Deus constata que se tornou como um *verme, não homem, riso dos homens e desprezo do povo,* e se sente dilacerado.

Eu me derramo como água
E meus ossos todos se desconjuntam;
Meu coração está como a cera,
Derretendo-se dentro de mim;
Seco está meu paladar, como caco
E minha língua colada ao maxilar;
Tu me colocas na poeira da morte.[309]

Na escritura judaica, o inocente espera que Deus faça alguma coisa para salvar sua vida, dizendo coisas como *não fique longe, venha me socorrer depressa*! Nos Evangelhos, Jesus também dirá que está em dificuldade, e também precisa de água.

– *Tenho sede!* [310]

Ao mesmo tempo que se enganam, pensando que Jesus está chamando pelo profeta Elias e não apenas dizendo *Eli* ou *Elohim*, alguns de seus seguidores correm para trazer-lhe vinagre. Será que não há água por perto? O que sabemos é que alguém providenciou uma vasilha com vinagre. E um dos discípulos, provavelmente uma mulher, pois faz tempo que não temos notícias dos homens, mergulhou uma esponja no vinagre e prendeu-a na ponta de um pedaço de madeira para fazê-la chegar à boca de Jesus.

O Evangelho de João dirá que foi um galho de hissopo, mas ainda que assim se faça menção à tradição de marcar as casas judaicas com galhos de hissopo para que Deus as poupe de sua ira, ainda que isso lembre que Jesus é o cordeiro dessa Páscoa e que é seu sacrifício que se está oferecendo a Deus, dificilmente um galho tão frágil chegaria com vinagre ao alto da cruz. Estudiosos verão aqui um erro de tradução, pois as palavras gregas para *hissopo* e *lança* são parecidas, assim significando, provavelmente, que a esponja foi colocada na ponta de uma lança para chegar a Jesus.

Certo é que dessa vez Jesus não recusa. Mesmo sendo vinagre, sua sede deve ser muita, ele bebe. Isso alimentará ainda mais as teorias de que terão dado algo para sedá-lo, fazê-lo entrar num transe sonífero e depois, supostamente enganando a todos, ser acordado como se tivesse ressuscitado da própria morte. Dirão também, e essa será uma das heresias combatidas pelo bispo Irineu ainda nas primeiras décadas do cristianismo, que Simão de Cirene foi colocado na cruz, e que ao fim desta sexta-feira Jesus estará se divertindo com o engano dos romanos.[311] Surgirão ainda pergaminhos que mostrarão Jesus afirmando que o crucificado não terá sido ele, mas um corpo emprestado ao Salvador.

Aquele que você vê sorrindo acima da cruz é o Jesus que vive... Aquele em cujas mãos e pés eles estão colocando pregos é sua parte carnal, o substituto dele, será a explicação atribuída a Jesus, no pergaminho gnóstico *A revelação de Pedro*.[312]

Sem a ressurreição, o cristianismo não se sustentaria, e a polêmica levará muita gente piedosa a cometer o pecado capital da ira contra os autores de tais teorias. Ou os pecados terão sido as mentiras inventadas sobre o homem sagrado no momento mais marcante de sua história?

Depois de beber o líquido que lhe foi levado na esponja, como se não tivesse mais nada a fazer diante da sentença cruel que lhe impuseram, Jesus dá um grito fortíssimo, que ecoa pelas montanhas e vales de Jerusalém.

– *Está cumprido!* – É o que o Evangelho de João dirá terem sido as últimas palavras de Jesus antes de sua ressurreição.[313]

Ele inclinou a cabeça, como se já não tivesse mais forças para sustentá-la, e fechou os olhos.

Os Evangelhos nos contarão que, a algumas centenas de metros do morro da Caveira, no monte Moriá, *o véu do Templo rasgou-se em dois, de alto a baixo,* numa imagem aparentemente simbólica querendo indicar aos leitores a destruição do Templo, fato que só acontecerá no ano 70, quase quatro décadas depois da crucificação de Jesus. Mas o véu partido ao meio será entendido também como se Jesus estivesse neste momento substituindo o Templo como lugar de encontro com Deus. Ele já disse isso, aliás. Seu corpo é um Templo. Seu espírito, certamente. E se o corpo irá desaparecer desta terra, seu espírito será o lugar de encontro de seus seguidores com a divindade que o enviou ao mundo.[314]

Mas não é só isso.

A morte de Jesus faz a terra tremer.

Rochas estão se partindo.

E os túmulos estão abertos, permitindo que muitos mortos se levantem para entrar em Jerusalém. É uma cena macabra, mas indica que Jesus já começou a salvar as almas dos homens.

Será no sábado, no entanto, quando Jerusalém for tomada por um silêncio assustador, que Jesus descerá ao inferno para acertar as contas com o diabo. É isso que nos dirão os primeiros cristãos, certos de que Jesus *descendit ad inferos,* visitando a mansão dos mortos para resgatar as almas sequestradas.

ALEXANDER ANDREYEVICH IVANOV
APARIÇÃO DE CRISTO PARA MARIA MADALENA APÓS A RESSURREIÇÃO (1835)
Museu Estatal Russo

SÁBADO

DESPEDIDA NO JARDIM

PETER PAUL RUBENS
A DESCIDA DA CRUZ
(1616-17)
Palácio de Belas-Artes de Lille, França

O s apóstolos seguiram seus rumos. As mulheres que estavam aos pés da cruz foram dormir nas casas que as acolheram, pois vieram de longe e ainda não têm forças para ir embora dessa cidade que agora se tornou fúnebre, maculada para sempre pela morte de Jesus. Há um homem, no entanto, que não consegue dormir.

O nome dele é como o de tantos outros, mas esse é um José com algum poder em Jerusalém. José de Arimateia faz parte do Sinédrio e foi uma voz dissonante quando os sacerdotes votaram pela condenação de Jesus. Não conseguiu evitar a crucificação, mas agora que estão todos com a sensação de dever cumprido, pensando que o Cristo está morto, ele se sente à vontade para bater à porta do palácio onde Pilatos se hospeda.

Veio fazer-lhe um pedido incomum.

Seria negado, certamente.

Não fosse Arimateia tão respeitado.

O discípulo até agora secreto de Jesus diz ao prefeito romano que quer tirar o corpo da cruz para dar ao mestre um enterro decente. É o mínimo que pode fazer pelo homem em quem tanto acreditava, o Cristo que veio salvar José e todos os judeus, e provavelmente o mundo inteiro.

Pilatos não duvidou das palavras do visitante, mas achou estranho que Jesus tivesse morrido tão rápido. Crucificados, afinal, costumam passar três ou quatro dias perecendo debaixo de sol e chuva, pedras e cuspes, cães e corvos. Mas os centuriões romanos que estavam de serviço nas horas que se seguiram à crucificação o informarão que Jesus morreu antes do tempo esperado. O Evangelho de João nos dirá, inclusive, que não lhe quebraram as pernas, como costumam quebrar dos outros para tirar-lhes o ponto de apoio e acelerar-lhes a morte. É coisa tão comum que até nome tem: *curifragium.* Mas como Jesus já não respirava, o centurião apenas mirou sua lança na direção do coração. Talvez tenha errado. O que se contará é que ele acertou um dos lados, de onde se dirá que saiu uma mistura de água e sangue, onde os cristãos verão, primeiro, o Espírito Santo, para mais tarde verem também a água do batismo e o vinho da Eucaristia, enxergando ali, mais uma vez, o cumprimento de uma escritura, aquela onde está dito que *Deus guarda seus ossos todos... nenhum deles será quebrado.*[315]

Depois que os centuriões lhe confirmaram a morte do condenado, Pilatos autorizou Arimateia a fazer o que pedia. Talvez por ser um pedido feito por judeu rico e poderoso, mas, afinal, o prefeito não tinha por que arrumar mais problemas, e certamente José não lhe pareceu mal-intencionado. Além disso tudo, a Páscoa está terminando e logo, logo o prefeito vai voltar ao conforto de Cesareia para, enfim, repousar à beira do mar.

É certo que Arimateia não está sozinho quando vai até o monte da Caveira e consegue tirar da cruz o corpo de Jesus. Alguém terá que ter subido alguns metros para soltar-lhe as mãos, arrancando-lhe os pregos ou pelo menos desatando os nós fortíssimos que os romanos dão nas cordas com que normalmente amarram seus crucificados. Só com a ajuda de Nicodemos, e talvez de alguns outros discípulos, José de Arimateia consegue recuperar o corpo de Cristo e o carrega até uma pedra onde pode deitá-lo, limpá-lo, perfumá-lo e envolvê-lo com um sudário limpo e de linho.

Só depois de devolver a dignidade arrancada pelos romanos, José de Arimateia sente que está pronto para levar o corpo até o túmulo que mandara construir pensando no dia da própria morte, mas agora inaugurado, e com muita honra, pelo homem mais amado entre os que esperam pelo Reino dos Céus.

Acompanhados por Maria Madalena e por uma outra Maria, sem que fiquemos sabendo sobre o destino da mãe de Jesus, pois dela ninguém mais se ocupará, Arimateia e seus homens arrastam o corpo para dentro do túmulo, que não é outra coisa senão uma caverna talhada para receber defuntos, e o colocam deitado, à espera da pedra pesadíssima que fora deixada ali com a única função de lacrar o túmulo no dia em que Arimateia emitisse seu último suspiro.

Mas os planos mudaram.

Cumpre-se a profecia.

Messias em túmulo de rico.

Isaías outra vez, do começo ao fim.

Puseram seu túmulo com os impuros...
E com os ricos em sua morte.[316]

Os suspiros agora são regados de pranto.

Lembro-me daquele dia do sermão na montanha da Galileia... como fiquei emocionada, podemos imaginar uma das mulheres dizendo. *Não iremos vê-lo nunca mais nos ensinando a amar*, pode ser alguém pensando, ou falando baixo. *Iremos sim, no terceiro dia*, Madalena certamente responderia se estivesse ouvindo tamanha bobagem, pois jamais duvidou do que o mestre lhe disse com tanta certeza. No terceiro dia!

Sei como estão se sentindo, também sofro profundamente, mas temos que ir embora... logo, logo vem um guarda dos sacerdotes a molestar-nos e sou eu quem vai ter que explicar, podemos imaginar José de Arimateia apressando a saída de todos, querendo rolar logo essa pedra para cobrir o sepulcro.

Que ninguém venha vilipendiar o corpo do mestre, ainda podemos imaginar que Arimateia esteja pensando, talvez remoendo sua culpa, pois não conseguiu absolvê-lo no julgamento religioso, ainda olhando para trás uma última vez, e sempre gentil, ajudando as mulheres a caminharem pela parte rochosa, até passarem pelas árvores frutíferas, lembrando-se do Éden perdido, que agora seja devolvido pelo redentor, e dizendo adeus, ou mais acertadamente *até logo*, pois em poucas horas Maria Madalena encontrará Jesus.

AGRADECIMENTOS

Agradeço aqui, pela ordem que a memória me vem trazendo, a alguns daqueles que contribuíram para que este livro fosse escrito, direta ou indiretamente, recentemente ou num passado distante, como os queridos Kaká Alvarez, que sobre um cavalo mostrou ao menino Rodrigo algumas belezas do mundo; a Rafael Dapuzzo, amizade sem fronteiras; e ao querido Érico Magalhães, um livro sempre aberto na página do amor, onde os gregos escreveram *philia*.

Todá rabá Felipe Wolokita pela ajuda em compreender e explicar a cultura judaica, incluindo traduções de conceitos fundamentais à história de Jesus. Obrigado, Leonardo Leizerovith, pela incursão a lugares pouco visitados por onde somos levados a acreditar que ainda estamos vendo as pegadas de Jesus. Abir Nassee (זה בן אדם!) to you I dedicate the love of a son, thanks for teaching me so much about the Jewish people and its way of loving the others. Thanks to Svetlana and Ariel, המשפחה שלי.

Obrigado à minha amada Ana Cristina e aos meus filhos apaixonantes, Audrey, Hector e Rafo, por me dedicarem tanto amor. Todo o meu carinho à minha mãe infalível e ao meu pai, que tanta falta me faz.

Sem vocês e tantos outros que certamente mereceriam estar citados aqui, esta história não teria saído do prólogo.

Recebam meu abraço forte e agradecido.

RODRIGO ALVAREZ

NOTAS

1. *Manual de disciplina da comunidade de Qumran*, DSD (1QS), coluna vii, 18-25 (sobre expulsão da comunidade); coluna viii, 9-11 (espera pelo Messias); coluna x, 14 (membros da comunidade dormem em divãs, camas); coluna x, 18-25 (contra os homens diabólicos, à espera do dia da vingança e do Julgamento Final).
2. Salmos 37:16; CROSS, Frank Moore. *The Ancient Library of Qumran*. Sheffield, Inglaterra: Sheffield Academic Press, 1995, p. 74.
3. CROSS, Frank Moore. *The Ancient Library of Qumran*, pp. 96, 97, 101.
4. JOSEFO, Flávio. *A guerra dos judeus*, livro 2, 119-159.
5. *Manual de disciplina da comunidade de Qumran*, DSD (1QS), coluna iv, 19-21.
6. *Manual de disciplina da comunidade de Qumran*, DSD (1QS), coluna ii, 10.
7. Isaías 53.
8. Aqui estão apresentados alguns versos, não contínuos, de um poema que está completo em Isaías 53.
9. *Manual de disciplina da comunidade de Qumran*, DSD (1QS), coluna i, 9-11.
10. JOSEFO, Flávio. *A guerra dos judeus*.
11. JOSEFO, Flávio. *Antiguidades judaicas*; CHARLESWORTH, J.H. *John the Baptizer and the Dead Sea Scrolls*. Mahwah, NJ: Paulist, 1992.
12. JOSEFO, Flávio. *Antiguidades judaicas*, livro 2, cap. 8.
13. JOSEFO, Flávio. *Antiguidades judaicas*.
14. CHARLESWORTH, J.H. *John the Baptizer and the Dead Sea Scrolls*, p. 106; "Hasên", in: CROSS, Frank Moore. *The Ancient Library of Qumran*, p. 54, associação com Cidade do Sol, na p. 56; "Cidade do Sol", em Josué 15:62.
15. Gênesis 9.
16. A noção de que o batismo é o que nos livra do Pecado Original virá mais tarde, no século II, com o teórico cristão Irineu de Lyon. Irineu de Lyon bem como Tertuliano, Orígenes e Agostinho sistematizam uma compreensão que é anterior, com base em passagens do Novo Testamento, especialmente Evangelho de João

3,5 e 2 Coríntios 5,17. A purificação da culpa original de Adão e Eva é um dos efeitos do batismo cristão; mas não seu sentido único. Antes de tudo, o banho batismal significa o mergulho do fiel no evento pascal de Jesus, uma participação na morte e na ressurreição do Messias (cf. Romanos 6,3-4). Participando, assim, da vida nova do salvador Jesus, o fiel é regenerado como "nova criatura", restituído na condição de Adão e Eva antes da desobediência (cf. Efésios 4,24). Entre outros efeitos do batismo estão o perdão dos pecados, a regeneração espiritual e a adoção como filho, da parte de Deus (Tito 3,4-5; Gálatas 4,6). Em resumo, ser batizado é participar da vida plena do Messias Jesus, feito nova criatura n'Ele, ungido como Ele, filho como Ele.

17. Lucas 3: 7-14.

18. CHILTON, Bruce. *Rabbi Jesus*. Nova York: Doubleday: Random House, 2000, cap. 3 (é um bom exemplo de estudioso que não tem dúvidas sobre a relação aluno-mestre; o próprio capítulo que trata do tema chama-se "O aluno de João").

19. João 1: 29.

20. João 1: 6.

21. Trecho do texto "Son of God", também chamado de "Apocalipse aramaico", Manuscritos do mar Morto, 4Q246.

22. Lucas 1: 32-35.

23. *Manual de disciplina da comunidade de Qumran*, DSD, coluna viii, 13-14.

24. Daniel 7: 13-14; nas traduções do Novo Testamento, a palavra ser humano foi interpretada como "filho do Homem", expressão que evito usar aqui para não antecipar uma questão que surgirá mais tarde, seguro de que o original aramaico *bar-Enosh* significava apenas "ser humano".

25. POTTER, Charles Francis. *The Lost Years of Jesus Revealed*. Robbinsdale: Fawcett Publications, 1958.

26. FITZMYER, J.A. *Responses to 101 Questions on the Dead Sea Scrolls*. Mahwah, NJ: Paulist, 1992, p. 106.

27. Marcos 6: 14.

28. Schonfield, Hugh J. *The original New Testament*. Londres: The Huich & Helene Schonfield World Service Trust, 1985, p. 11.

29. Por isso, e também por ter entre seus apóstolos um homem conhecido como Simão, o Zelota, haverá uma corrente de estudiosos afirmando que Jesus é um zelota, integrante de uma corrente ultra-revolucionária do judaísmo conhecida pelos muitos galileus que a integram.

30. Lucas 2: 46-50.

31. João 4: 21.

32. *Manual de disciplina da comunidade de Qumran*, DSD, coluna ix, 3-4.

33. Habacuque 2: 4; Hebreus 10: 38; Romanos 1: 17; Gálatas 3: 11.

34. NOTOVITCH, Nicolas. *The Unknown Life of Jesus Christ*. Nova York: R.F. Fenno, 1890; ABHEDANANDA, Swami. *Journey Into Kashmir and Tibet*. Chennai: Sri Ramakrishna Math, 1987; DOWLING, Levi H. *The Aquarian Gospel of Jesus the Christ: the philosophic and practical basis of the religion of the aquarian age of the world and of the church universal*. Los Angeles: E.S. Dowling, 1911.

35. João 1: 26-27.

36. Mateus 3: 11; similar em Marcos 1: 8.

37. Sobre as roupas de João, Marcos 1: 4-11 e Mateus 3: 4; sobre os gafanhotos, Levítico 11: 22.

38. Livro de João Batista, in: PRICE, Robert M. Pre--Nicene New Testament. In: ___. *The Book of John the Baptizer*. Salt Lake: Signatura Books, 2006, p. 14.

39. Lucas 3: 22.

40. Mateus 3: 14-15.

41. Jeremias 23: 5-6.

42. Mateus 4.

43. Lucas 4.

44. João 1: 23.

45. JOSEFO, Flávio. *Antiguidades judaicas*, livro 18, pp. 1-6.

46. Marcos 2: 14.
47. 1 Reis 19: 19-21.
48. Schonfield, Hugh J. *The original New Testament*, p. xvi.
49. Lucas 22: 35-38; João 18: 10.
50. João 1: 40.
51. Marcos 1: 32.
52. Lucas 4: 16.
53. Mateus 10: 37.
54. Lucas 4: 18.
55. Lucas 4: 18.
56. Lucas 4: 21.
57. Eliade, Mircea. *História das crenças e das ideias religiosas*. Rio de Janeiro: Zahar, 1978, v. 2, p. 225.
58. Lucas 4: 22-23.
59. Lucas 4: 24.
60. Lucas 4: 27.
61. Em Frederico Lourenço (*Bíblia:* Novo Testamento, os quatro Evangelhos. São Paulo: Cia. das Letras, 2017, p. 329), a nota explica que a tradução desse personagem do casamento como mordomo ou chefe dos serventes foi provavelmente um erro, pois a tradução que ele faz diretamente do original grego nos leva a crer que é a pessoa que propõe os brindes, portanto alguém com status de padrinho.
62. O trecho citado é Mateus 4: 16 e aparece praticamente com as mesmas palavras em Isaías 9: 1-2.
63. Marcos 2: 5.
64. Eclesiástico 39.
65. Marcos 2: 7.
66. A contenda entre católicos, luteranos, metodistas e reformadores levou praticamente 500 anos para ser resolvida: em 1999 chegaram a um importante consenso sobre a graça do perdão na salvação dos cristãos. Esse consenso favoreceu a revisão das doutrinas e dos conflitos do passado, abrindo uma nova perspectiva de relacionamento entre a Igreja Católica e as Igrejas vindas da Reforma. Sobre o tema, ver: FEDERAÇÃO LUTERANA MUNDIAL; IGREJA CATÓLICA ROMANA. Declaração conjunta sobre a Justificação por fé e graça. São Leopoldo; São Paulo: Editoria Sinodal-Edições Paulinas, 1999.
67. Marcos 2: 11.
68. Mateus 6: 20; a tradução de Frederico Lourenço, do original grego, nos permite essa leitura mais clara e precisa do que em versões anteriores.
69. Lucas 12: 19-21; Provérbios 11: 4.
70. Levítico 12: 3; Gênesis 17: 12; Levítico 19: 18; Levítico 11: 7-8.
71. Lucas 5: 30-32.
72. Lucas 5: 33-39.
73. Marcos 2: 27-28.
74. Mateus 8: 20.
75. Irineu Contra Heresias, III, xviii, in: BETTENSON, Henry; MAUNDER, Chris (org.). *Documents of the Christian Church*. Oxford: Oxford University Press, 2011, p. 42.
76. ELIADE, Mircea. *História das crenças e das ideias religiosas*, v. 2, pp. 237-238.
77. HIGGINS, A. J. B. *Jesus and the Son of Man*. Cambridge: The Lutterworth Press, 2002.
78. Marcos 3: 4.
79. Isaías 2: 1-4.
80. Marcos 3: 13-19.
81. Lucas 9: 54.
82. Lucas 8: 1-3.
83. JACOBBOVICI, Simcha; PELLEGRINO, Charles. *The Jesus Family Tomb*. São Francisco: Harper San Francisco, 2007.
84. The Gospel of Phillip, NHCII.
85. The Dialogue of the Savior, NHCIII.
86. MEYER, Marvin. *The Nag Hammadi Scriptures*. São Francisco: HarperOne, 2007, p. 297.
87. The Dialogue of the Savior, NHCIII.
88. Lucas 8: 21.
89. Marcos 16: 13.
90. The Gospel According to Mary, Nag Hammadi, BG8502,1.
91. Mateus 5: 3.
92. Mateus 5: 8-9.
93. Mateus 5: 13.
94. Mateus 5: 17-19.
95. Mateus 5: 21.
96. Mateus 5: 20.
97. Mateus 5: 28.
98. Mateus 5: 32.
99. Mateus 5: 37.

100. Mateus 5: 38-42.
101. 1QS 1, 10 (Manuscritos de Qumran).
102. Marcos 5: 38-48; Mateus 5: 43.
103. Mateus 6: 7-8.
104. Mateus 6: 9.
105. Mateus 6: 9-14.
106. Tradução livre feita pelo autor.
107. Mateus 6: 26.
108. Mateus 6: 25-34; Mateus 7: 15.
109. Mateus 7: 12.
110. Mateus 7: 25-27.
111. Marcos 3: 22.
112. Carta de Cirilo de Alexandria a Nestório, aprovada pelo Concílio de Éfeso, ano 431, e depois confirmada pelo Concílio de Calcedônia (in: BETTENSON, Henry; MAUNDER, Chris (org.). *Documents of the Christian Church*, p. 67).
113. Marcos 3: 35.
114. Marcos 4: 40.
115. Marcos 5: 19.
116. Lucas 8: 44-45.
117. Lucas 8: 45.
118. Lucas 8: 48.
119. Marcos 5: 41.
120. Marcos 6: 4.
121. Lucas 9: 60.
122. Lucas 10: 2.
123. Marcos 6: 11.
124. Gênesis 19.
125. Mateus 10: 15.
126. JOSEFO, Flávio. *Antiguidades judaicas*, livro 18, cap. 5.2.
127. JOSEFO, Flávio. *Antiguidades judaicas*, livro 20, cap. 9.1.
128. Mateus 14: 8.
129. Mateus 11: 2-15.
130. Lucas 7: 28.
131. Malaquias 3: 23.
132. Mateus 17: 12.
133. *Recognitions of Clement*, livro I, 60.
134. As "Homilias" e os "Reconhecimentos de Clemente" são textos apócrifos, ou seja, ficaram de fora dos documentos que os primeiros papas consideraram ortodoxos e que, por conterem algo de incômodo ou incorreto, foram lançados à fogueira. Para nossa sorte, algumas cópias manuscritas dos textos do chamado pseudo--Clemente resistiram e nos chegaram intactas, trazendo informações importantes.
135. PRICE, Robert M. Pre--Nicene New Testament, pp. 5-7.
136. Shofar é um instrumento musical usado pelos judeus, feito de chifre (lembra um berrante, como os que são usados pelos vaqueiros). As traduções apresentadas aqui foram feitas a partir do inglês, conforme o texto encontrado em: PRICE, Robert M. Pre-Nicene New Testament.
137. PRICE, Robert M. Pre--Nicene New Testament, nota ao cap.1, p. 16.
138. *Recognitions of Clement*, livro I, cap. LIV.
139. Atos 8: 9-24.
140. *Recognitions of Clement*, livro II, cap. IX.
141. Atos 8, 18-23.
142. Atos 8, 9-24.
143. *Recognitions of Clement*, livro I, cap. LVIII.
144.*Recognitions of Clement*, livro I, cap. LVIII.
145. *Recognitions of Clement*, livro I, cap. LX.
146. "The Sayings of Jesus", Revival of Religious Science, Abu Hamid al-Ghazali, Revival of the Religious Sciences, in: PRICE, Robert M. Pre--Nicene New Testament.
147. Mateus 14: 1-12.
148. Marcos 6: 16; sobre a espada: Mateus 10: 34-39 e Lucas 12: 49-53.
149. Marcos 6: 31.
150. Mateus 14: 29.
151. Mateus 14: 28-29.
152. Marcos 7: 14-23.
153. Mateus 16: 18.
154. Lucas 12: 51-53.
155. Lucas 13: 31-34.
156. Mateus 16: 22.
157. Marcos 8: 37.
158. 2 Reis 2: 1-13.
159. Mateus 17: 5.
160. Marcos 9: 33.
161. Marcos 9: 35.
162. Marcos 10: 17-27.
163. Mateus 19: 16-30.
164. Entre esses primeiros teóricos cristãos está Gregório de Nissa, in: Oratio Catechetica, xxi-xxvi; Rufino de Aquileia, c. 400. Commentarium in Symbolum Apostolorum.
165. Marcos 30: 35.
166. Marcos 10: 46-47.
167. Homilia do papa

Francisco em 31/07/2016. Disponível em: <http://pt.radiovaticana.va/news/2016/07/31/homilia_do_papa_na_missa_conclusiva_das_jmj_%E2%80%93_texto_integral/1248269>. Acesso em: jan. 2018.

168. Lucas 19: 8. Essa fala de Zaqueu está exatamente como a encontramos na tradução dos Evangelhos feita por Robert M. Price, no texto: Pre-Nicene New Testament; a tradução de Frederico Lourenço também mostra Zaqueu falando no presente, de fato, se defendendo da acusação, e não prometendo parar de cometer erros.

169. A punição está em Êxodo 21: 37.

170. Lucas 19: 27.

171. LOURENÇO, Frederico. *Bíblia:* Novo Testamento, os quatro Evangelhos, p. 329.

172. NHC III, "The dialogue of the Savior".

173. The Gnostic Gospels, Elaine Pagels, p. 18.

174. NHC III, "The dialogue of the Savior".

175. Os trechos dessa conversa estão em NHC III, "The dialogue of the Savior", texto gnóstico encontrado na coleção de Nag Hammadi.

176. Idem.

177. *The Gospel of Thomas*, NHC II, 2.

178. Idem.

179. Pistis Sophia, J. J. Hurtak, The Academy For Future Science, 1999, I:7, pp. 56-65.

180. NHC VII, 2 – The Second Discourse of great Seth (51, 20-52, 10), in: MEYER, Mervin (org.). *The Nag Hammadi Scriptures*. Nova York: HarperOne, 2008.

181. Idem.

182. Idem.

183. Sobre os cananeus, ver: ELIADE, Mircea. *História das crenças e das ideias religiosas*. Rio de Janeiro: Zahar, 1976. v. 3, pp. 148-160.

184. Zacarias 14: 4.

185. Sobre Jesus como "filho de Davi", Mateus 21: 9.

186. RATZINGER, Joseph (Papa Bento XVI). *Jesus of Nazareth*: the Holy Week. São Francisco: Ignatius Press, 2011, p. 5.

187. Lucas 19: 41-42.

188. Mateus 21: 10-11.

189. João 12: 36.

190. Marcos 11: 14.

191. Marcos 11: 17.

192. RATZINGER, Joseph (Papa Bento XVI). *Jesus of Nazareth*: the Holy Week, p. 12.

193. HENGEL, Martin. Revolucionário político. In: ___. *Was Jesus a Revolutionist?* Minneapolis: Fortress Press, 1971, p. 4.

194. ASLAN, Reza. *Zealot*. Nova York: Random House, 2013.

195. Marcos 11: 21.

196. Marcos 11: 25.

197. Lucas 20: 1-2.

198. Lucas 20: 3-4.

199. Lucas 20: 8.

200. Marcos 12: 7.

201. Marcos 12: 9.

202. Marcos 13: 2.

203. Marcos 12: 14.

204. Mateus 22: 18-19.

205. Mateus 22: 20-22.

206. JOSEFO, Flávio. *Antiguidades judaicas*, livro 2, pp. 117-118.

207. Mateus 22: 28.

208. Marcos 12: 25-27.

209. Marcos 12: 28.

210. Marcos 12: 31.

211. Coríntios 13: 1-2.

212. Marcos 12: 38-40.

213. Mateus 24: 3.

214. Mateus 24: 4-5.

215. Mateus 24: 6-8.

216. Mateus 24: 9-13.

217. Mateus 24: 15-16.

218. Daniel 12: 11.

219. Mateus 24: 19.

220. Marcos 13: 20.

221. Marcos 13: 22.

222. Marcos 13: 24; Isaías 13: 10.

223. Marcos 13: 31.

224. João 11 – toda a história de Lázaro está nesse cap.

225. João 11: 50.

226. Deuteronômio 9: 10.

227. João 1: 7.

228. João 8: 39.

229. João 8: 41.

230. LOURENÇO, Frederico. *Bíblia:* Novo Testamento, os quatro Evangelhos, p. 341, nota 8, 41.

231. PICK, Bernhard. *Jesus in the Talmud*: His

personality, His disciples and His saying. Chicago: The Open Court, 1913. Introdução e capítulo 1.
232. Talmude da Babilônia, tratado Sabbath 104b.
233. João 8: 54-56.
234. Aqui a soma: 29+4+3=36.
235. Saint Irinaeus of Lyons, Against Heresies (Contra Heresias), livro II, cap. XXII.
236. João 2: 19.
237. O encontro com Simão, leproso ou fariseu, dependendo do Evangelho, está em Marcos 14: 3-9; Mateus 26: 6-13; Lucas 7: 36-50; João 12: 1-11.
238. Lucas 7: 38.
239. Cântico dos Cânticos 1: 12.
240. Alguns exemplos de quadros importantes: *Banquete na casa de Simão*, Pierre Hubert Subleyras (1737, Museu do Louvre, França); *Cristo na casa de Simão, o fariseu*, Peter Paul Rubens (1618-20, Museu Hermitage, Rússia).
241. João 12: 5.
242. João 12: 7.
243. A lei específica sobre a Páscoa aparece em Êxodo 12, mas está também reafirmada nos outros livros da Torá.
244. ELIADE, Mircea. *História das crenças e das ideias religiosas*, v. 3, p. 176.
245. Crônicas 35: 6.
246. Marcos 14: 12.
247. João 13: 14-16.
248. Marcos 14: 17-26.
249. Idem.
250. Idem.
251. Idem.
252. Lucas 22: 19.
253. Lucas 22: 31-34.
254. Lucas 22: 36.
255. Isaías 53: 7.
256. Lucas 22: 37.
257. Lucas 22: 38.
258. Marcos 14: 34.
259. Idem.
260. Lucas 22: 42.
261. Lucas 22: 43-44, em versículos que serão considerados adições posteriores, com veracidade questionada por estudiosos.
262. Marcos 14: 44.
263. Mateus 26: 14.
264. Números 11: 16-25.
265. Marcos 14: 58.
266. Marcos 14: 53-65; Mateus 26: 57-68; Lucas 22: 66-71.
267. Marcos 14: 62.
268. Daniel 7: 13.
269. Marcos 14: 63-64.
270. Marcos 14: 65.
271. Deuteronômio 1: 16-17.
272. Marcos 14: 66-72.
273. Idem.
274. Idem.
275. Idem.
276. Mateus 27: 3-5.
277. Lucas 23: 2.
278. Deuteronômio 13: 1-12.
279. Lucas 23: 3.
280. Lucas 23: 3.
281. João 19: 10.
282. João 19: 6.
283. Mateus 27: 17.
284. Mateus 27: 19.
285. Mateus 27: 19.
286. Mateus 27: 21.
287. João 18: 33-38.
288. João 18: 37.
289. Idem.
290. Idem.
291. Marcos 15: 18.
292. João 19: 5.
293. João 19: 10.
294. João 19: 11.
295. Mateus 27: 24.
296. João 19: 22.
297. João 19: 17.
298. Provérbios 31: 6-7.
299. Salmos 22: 17-19.
300. João 20: 24-29.
301. Lucas 23: 34.
302. Lucas 23: 35.
303. Lucas 23: 39.
304. Lucas 23: 42.
305. João 19: 26.
306. Gênesis 1: 1-3.
307. Salmo 22.
308. Marcos 15: 36.
309. Salmo 22.
310. João 19: 28.
311. OF LYON, Irinaeus. *Against Heresies*, livro 1, cap. 24.4.
312. The Revelation of Peter, NHC VII, 3, biblioteca de Nag Hammadi; o outro pergaminho, também em Nag Hammadi, é "The Second Discourse of the Great Seth", NHC VII, 2.
313. João 19: 30.
314. Marcos 15: 38.
315. Salmos 34: 21.
316. Isaías 53: 9.